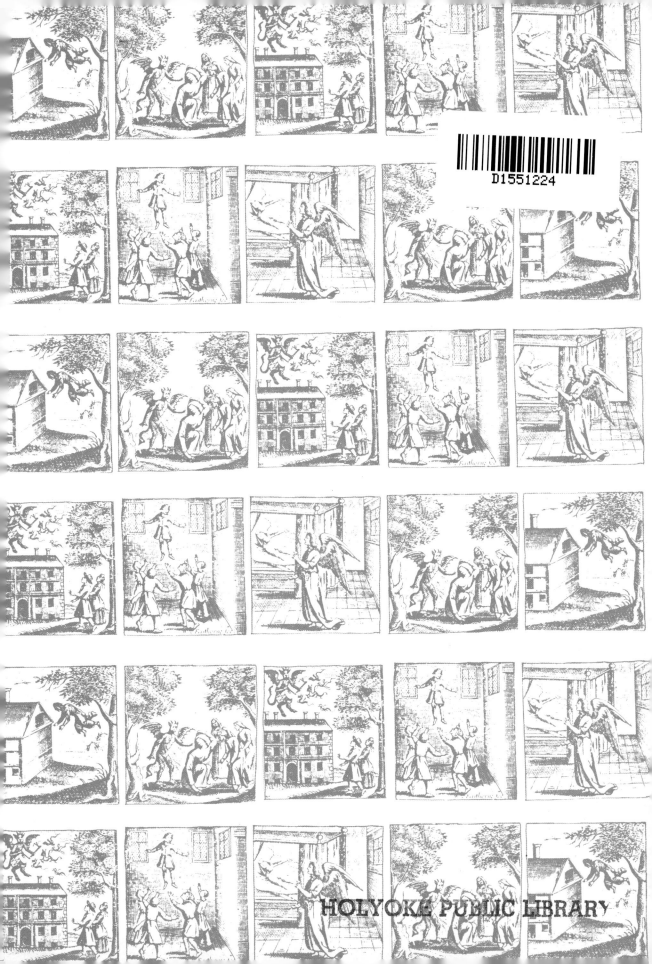

HOLYOKE PUBLIC LIBRARY

D1551224

Reference ✓

HOLYOKE PUBLIC LIBRARY

3 7362 0006 3090 6

GRANDES ENIGMAS
EL FASCINANTE MUNDO DE LO OCULTO

TOMAS DORESTE

GRANDES ENIGMAS
EL FASCINANTE MUNDO
DE LO OCULTO

TOMAS DORESTE

1

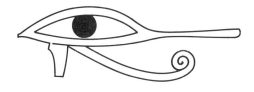

OCEANO

Es una obra de

OCEANO
GRUPO EDITORIAL

© MMI OCEANO GRUPO EDITORIAL, S.A.
Milanesat, 21-23
EDIFICIO OCEANO
08017 Barcelona (España)
Teléfono: 932 802 020*
Fax: 932 041 073
www.oceano.com

Reservados todos los derechos. Quedan rigurosamente prohibidas,
sin la autorización escrita de los titulares del copyright, bajo las
sanciones establecidas en las leyes, la reproducción total o parcial
de esta obra por cualquier medio o procedimiento, comprendidos
la reprografía y el tratamiento informático, y la distribución
de ejemplares de ella mediante alquiler o préstamo públicos.

Impreso en España - Printed in Spain

ISBN 84-7764-567-1 (Obra completa)
ISBN 84-7764-568-X (Volumen I)

Depósito legal: B-49768-XLI
9782000290900

INDICE
TEMATICO DEL
VOLUMEN

TOMO I
PRIMERA PARTE

FRAUDES Y CONFUSIONES DE LA HISTORIA Y DE LA CIENCIA

SEGUNDA PARTE

LOS MITOS DEL FIN DEL MUNDO

FRAUDES Y CONFUSIONES DE LA HISTORIA Y DE LA CIENCIA

EL FÓSIL QUE INVENTARON EN PILTDOWN

La técnica de la termoluminiscencia es el último adelanto para determinar con asombrosa exactitud la edad de un fósil cualquiera o de un objeto de enorme antigüedad. Ha servido, junto con otras no tan confiables —como la del radiocarbono, por ejemplo, para ayudar a la paleontología. Pero también para descubrir algunos fraudes cometidos en el pasado y en el presente.

Hasta no hace mucho tiempo era imposible comprobar la veracidad de muchos hechos históricos y teorías científicas, pero con el adelanto tecnológico actual se ha podido desmitificar ciertos supuestos sucesos y verificar otros reales. Con la paleontología, se puede demostrar con admirable precisión la edad de un fósil.

En 1861 se descubrió en Alemania la huella dejada en una roca por lo que se creyó era un arqueoptérix del Jurásico, viejo de 150 millones de años. La roca, con todo y la huella, pasó a poder del Museo Británico. Lástima que, en fecha reciente, el astrónomo Fred Hoyle demostrase que nada tenía de antigua. Y poco antes de la guerra civil española, el antropólogo Pedro Bosch Gimpera escribió una documentada monografía sobre los dibujos rupestres recién descubiertos en una cueva. Todo se vino abajo cuando un pastor llegó a declarar que las pinturas las había hecho él, un día que llovía mucho y corrió

a refugiarse dentro de una gruta con todas sus ovejas.

Pero de todos los fraudes paleontológicos cometidos, tal vez el más famoso y el que durante más largo tiempo logró engañar a los científicos haya sido el fabricado en la localidad de Piltdown Common, situada en la región oriental del Sussex inglés. Y ha seguido provocando comentarios porque intervinieron en él dos personajes eminentes, cuya fama ha alcanzado hasta nuestros días. Uno fue el jesuita Pierre Teilhard de Chardin (1881-1955), arqueólogo, paleontólogo y filósofo francés, quien estudió los orígenes del hombre y escribió libros que provocaron grandes polémicas cuando aparecieron después de su muerte.

El otro fue Arthur Conan Doyle (1859-1930), creador de ese Sherlock Holmes que se haría célebre por sus dotes deductivas utilizadas para resolver los casos criminales más complicados. La agudeza mostrada por el genial detective no tuvo su equivalente, en todas las ocasiones, en la perspicacia del escritor, quien fue víctima en varias ocasiones de bromas malintencionadas por culpa de su gran afición al espiritismo. En cierta ocasión fue objeto de las atenciones más que personales de cierta aparición incorpórea llamada Katie King, de la que el pobre Arthur se enamoró como un tonto.

Tal vez fue para demostrar que también él podía burlarse de los demás que ideó el asunto aquel de Piltdown, además de que no podía perdonar a los científicos británicos que habían reído a carcajadas al conocer su novela sobre la máquina del tiempo.

En la historia de la paleontología se detectan fraudes que, con frecuencia, convirtieron a sus autores en el hazmerreír del momento, como sucedió con el jesuita Pierre Teilhard de Chardin y con el escritor Arthur Conan Doyle. No obstante, ha habido importantes avances a manos de grandes y serios investigadores como Charles Darwin, quien nos legó el apelativo de eslabón perdido que hasta hoy usamos para describir a tantos personajes raros.

Conmocionó al mundo y más aún a los ingleses

Así como Stephen Jay Gould, paleontólogo de la universidad norteamericana de Harvard, fue quien sugirió que el autor del fraude había sido Teilhard de Chardin, todavía joven jesuita, otro científico estadounidense, John Hathaway Winslowe, culparía a fines de 1983 al creador de Sherlock Holmes. Redactó una tesis, publicada en el número 83 de la revista *Science*, de septiembre de 1983, en la que afirmaba lo siguiente: en su novela *El mundo perdido* —aventura emprendida por unos amigos de las emociones fuertes al Mato Grosso, donde encontrarían seres antediluvianos, entre ellos dinosaurios—, Conan Doyle había afirmado que no es difícil falsificar una fotografía o un hueso si se sabe cómo hacerlo.

Desde que Charles Darwin escribió en 1859 su *Origen de las especies*, sabios de todo el mundo habían comenzado a buscar lo que se dio entonces en llamar el *eslabón perdido*, es decir, el estado intermedio entre el simio y el ser humano, su actual descendiente. Se había desatado una verdadera fiebre entre los científicos que se creían dignos de este nombre. Tenían que luchar por obtener la prueba que tanto se buscaba. Y finalmente, en 1912, correspondió a dos sabios británicos sumamente modestos el honor de descubrir ese eslabón.

Uno de ellos se llamaba Charles Dawson y era, además de abogado, un gran aficionado a la geología y a los fósiles que vivía en Lewes, lugar cercano a Piltdown. Tuvo noticias de que en cierto sitio —jamás se supo quién le había informado— era posible que pudiera desenterrar alguna pieza de valor. Tuvo suerte. Con sólo dos o tres paladas que dio, encontró unas herramientas supuestamente prehistóricas, además de un cráneo acompañado de su correspondiente quijada. Los ingleses se sintieron sumamente satisfechos con el hallazgo, al que dieron el nombre de *Eoanthropus*. Era, sin duda alguna, el eslabón perdido. Quedaba demostrado que las Islas Británicas habían sido el primer país donde se instaló el hombre primitivo, una vez superada la etapa inicial de vulgar simio.

Era lógico que así fuera, afirmaron, porque Gran Bretaña era no sólo la

primera potencia naval, sino la más rica en intelectuales del mundo.

Una vez que se realizó el descubrimiento, Dawson mostró las valiosas piezas a su amigo el paleontólogo Arthur Smith Woodward, miembro del prestigioso Museo Británico. Se emocionó tanto el señor Dawson con el descubrimiento que vino a morir cuatro años después, no sin antes suplicar a Woodward que siguiera escarbando. Y así éste siguió adelante durante cinco años más, pero tuvo que abandonar la tarea al caer en la cuenta de que no obtenía éxito en la empresa. Hizo bien en darse por vencido, porque jamás hubiera hallado en aquel lugar nada que valiera la pena.

En 1931, cuando tampoco Woodward pertenecía ya a este mundo, cierto David Charles Waterton, profesor de anatomía en el King's College de Londres, declaró que la quijada debió pertenecer a un simio cualquiera y no a un ser humano, y lo mismo dijo el paleontólogo William Howells. Les mandaron callar a ambos, porque aquello que decían era atentar contra el prestigio de la patria. Bueno es decir que este Waterton, amigo de Conan Doyle, era sumamente aficionado a gastar bromas a los incautos. Se sabe que en cierta ocasión cazó un mono sin importancia y le modificó el cráneo, para darle apariencia humana. Conocía además el lugar donde excavaría Dawson, y que carecía de vigilancia. Sería fácil esconder bajo tierra lo que a uno le viniera en gana.

Es descubierto el fraude de Piltdown

En 1949, el Dr. Kenneth Oakley, del Museo Británico, sintió curiosidad por determinar la antigüedad del cráneo de Piltdown, ahora que se disponía de técnicas más avanzadas. Descubrió que no tenía más de 50.000 años. Muchos científicos comenzaron a sospechar. Algo no andaba bien.

Tres años más tarde se atrevió a intervenir el Dr. J. S. Weimer, antropólogo de la universidad de Oxford, y declaró lo siguiente: cráneo y quijada pertenecían a seres distintos, un hombre y un orangután, respectivamente. Añadió que los dientes habían sido limados y envejecidos artificialmente, por medio de bicromato de potasio.

Cuando fue descubierto el cráneo de Piltdown, la paleontología estaba aún en pañales y los sabios no pasaban de simples aficionados. Pero cuando L. Leakey encontró recientemente en Kenia los restos del Australopithecus, que logró reconstruir, sus colegas creyeron en él por una sencilla razón: se contaba ya con técnicas confiables para conocer su verdadera edad.

La ciencia pensó entonces que Dawson, quien había sido en vida un perfecto gentleman, debió ser engañado por algún malintencionado y que ese alguien debió haber sido el entonces joven Pierre Teilhard de Chardin —imposible que el culpable fuera súbdito de la Corona británica—, quien estuvo presente en las excavaciones. Sin embargo, no faltaron los antropólogos que culparon a otras personas. Para entonces se sabía ya que el cráneo pertenecía no a un hombre, sino a una mujer, muerta hacía menos de mil años, así como que la quijada era de chimpancé, o tal vez de orangután, que dejó de existir hacía apenas un siglo.

Dos investigadores contemporáneos coincidieron entonces en hacer responsable de la falsificación a Arthur Conan Doyle, quien estuvo también en las excavaciones. Además de creador del personaje de Sherlock Holmes, autor de novelas fantásticas, espiritista convencido y médico inventor de las técnicas policíacas modernas —junto con Edgar Allan Poe—, fue gran aficionado a la paleontología. Es decir, le gustaba coleccionar fósiles. Uno de los científicos que culparon a Conan Doyle fue el ya mencionado Winslow. Otro, Alfred Meyer, ambos declararon que la pieza fue fabricada con huesos procedentes de Ichkeul, localidad cercana a Túnez.

Si fue Conan Doyle quien ideó la falsificación del cráneo de Piltdown, lo hizo a la perfección, porque sobrevivió veintidós años a su muerte, acaecida en 1930. Se ha dicho que no lo hizo por maldad, sino para burlarse de la inge-

Caricatura del genial escritor Arthur Conan Doyle, quien, además de ser el creador del famoso detective Sherlock Holmes, autor de novelas fantásticas, médico y espiritista, ha sido acusado por dos investigadores contemporáneos de ser el falsificador del cráneo del hombre de Piltdown, muy probablemente para burlarse de la ingenuidad de los científicos de la época.

nuidad de los sabios de la época. De haber existido en sus días la técnica del radiocarbono, de la termoluminiscencia u otra similar, no le hubiera resultado tan sencillo gastar aquella divertida broma.

No ha sido el de Piltdown el único fósil falsificado

A partir de 1955, el geólogo hindú Viswa Jit Gupta, profesor en la universidad del Punjab, estuvo estudiando los restos fósiles de ciertos conodontes y amonitas hallados por él en las estribaciones del Himalaya, cuya edad alcanzaba los 360 millones de años. El descubrimiento no podía ser más interesante: había sido realizado en unas capas sedimentarias situadas en el lugar exacto donde el subcontinente del Decán, desprendido por aquellos tiempos de la costa oriental del continente africano, se desplazó para ir a impactarse contra la región meridional de Asia y formar la cordillera más alta del mundo, que sigue elevándose aún.

Pero en 1989 apareció el australiano John A. Talent, profesor en la universidad de Sydney, para declarar que los fósiles tenían la edad que había dicho Jit Gupta, pero no eran del Himalaya, sino que procedían de Amsdell Creek, Nueva York, y de la localidad marroquí de Erfud. Quién sabe de qué medios milagrosos se valieron los fósiles para trasladarse de un sitio a otro. El hindú protestó airadamente, pero no fue capaz de decir en qué lugar había descubierto las malditas piezas.

Más divertido sería lo sucedido en 1984 en el poblado andaluz de Orce. Las autoridades habían invitado a quinientos sabios a un simposio internacional, de tres días de duración, donde se discutiría sobre los restos del que dieron en llamar «hombre de Orce», descubiertos en el verano de 1982. Hubo que cancelar en el último minuto el acto, al descubrirse que los restos hallados no pertenecían a un adolescente de diecisiete años, que vivió hacía la friolera de millón y medio de años, sino a un simple asno muerto hacía cuatro meses.

Los descubridores del supuesto fósil, miembros al parecer del Instituto Paleontológico de Sabadell —España—, según dijo la prensa, hallaron por esos

mismos días, en una cueva de la provincia de Murcia —también en España—, la falange de la mano derecha de un fósil humano que podría ser el más antiguo hallado en Europa.

EL MONSTRUO QUE LLEGÓ ENVUELTO EN HIELO

Uno podría jurar, ahora que la ciencia cuenta con técnicas más depuradas —sofisticadas, dicen los pedantes que gustan de leer libros en inglés— para denunciar las falsificaciones, que sería sencillo desenmascarar a los culpables antes de darles tiempo a aprovecharse de la proverbial ingenuidad de los seres humanos y, en especial, de los sabios. Pero no es así. Si gente amiga de gastar bromas logró sorprenderlos en el pasado, es cosa que no debe extrañarnos. Había, por un lado, un deseo inconsciente de aceptar lo que fuera, para no ser mirados de reojo, como sucedió con el cráneo de Piltdown. Además, se carecía de recursos apropiados para dar con la verdad.

Así no debería aceptarse, todavía en la actualidad, que existan científicos que hayan podido ser burlados con entera impunidad. Y esto fue lo que sucedió, precisamente, con el monstruo que llegó envuelto en hielo.

El teléfono que repicó en la noche

Ivan T. Sanderson, ya fallecido, fue un afamado escritor y científico que dedicó gran parte de su vida al estudio de la criptozoología, o búsqueda de los animales de los que todos hablan pero que nadie jamás vio, como el monstruo de Loch Ness, el yeti del Tibet, la serpiente marina y otros seres igualmente inasibles. Una noche, hace poco más de veinte años, conversaba Sanderson con su amigo Bernard Heuvelmans, zoólogo belga, cuando sonó el teléfono. Era un viejo conocido, de nombre Terry Culler, quien deseaba comentarle algo acerca de un auténtico hombre de las cavernas cubierto de pelambre, que acababa de ver exhibido en una feria, en la población de Rollingstone —nada que ver con los cantantes de rock—, en el condado de Winosa, perteneciente al

Hasta el día en que se descubrió la verdad sobre el hombre envuelto en hielo, descubierto en aguas del Pacífico Norte, se vino creyendo que habría viajado por la cuarta dimensión desde el Pleistoceno o que era un caso increíble, fantástico, de individuo resucitado, después de permanecer congelado en tierras árticas, como si fuera un vulgar mamut.

estado de Minnesota. ¿Le agradaría conocer aquella curiosidad, antes de que se llevasen aquel ser monstruoso a otro sitio?

Esto sucedió el 17 de diciembre de 1968. Dos días después se encontraban los dos hombres en presencia de Frank Hansen, una especie de Barnum, propietario del ser congelado. Lo tenía encerrado, envuelto en hielo, dentro de una vitrina vertical iluminada con tubos de neón. Salían burbujas del cuerpo y despedía una pestilencia tal que hizo suponer a los dos amigos que se estaba descomponiendo rápidamente. Sin duda, aquel ser era auténtico.

El dueño del hombre peludo atrajo la atención de los visitantes sobre el mal estado de una parte de la cabeza:

parecía como si el orificio abierto en un ojo hubiese sido causado por una bala. Por otra parte, la posición del brazo izquierdo, levantado como si el monstruo peludo hubiera querido rechazar una agresión, ¿no era acaso prueba suficiente de que un desconocido intentó agredirlo y tal vez lo mató?

El cuerpo, explicó Hansen a aquella gente tan interesada en el contenido de la vitrina helada, había sido descubierto en un bloque de hielo de tres toneladas que flotaba a la deriva en el mar de Okhotsk, cerca del estrecho de Behring. Fue un cazador ruso de focas el que lo halló. Añadió el dueño del ser peludo que el bloque le fue incautado al ruso por las autoridades chinas y que vino a aparecer algún tiempo después en Hong Kong. Tal vez fue a partir de entonces que comenzó a oler mal.

Supo del hallazgo un millonario estadounidense y adquirió el monstruo para cedérselo a Hansen por una módica suma mensual. Bien se veía que era un perfecto filántropo. Una vez el ser peludo en su poder, Hansen se dedicó a viajar por todos los estados de la Unión, a partir del mes de mayo de 1967. Y dos años después de conocer Sanderson y Heuvelmans al monstruo, su dueño declaró a la revista *Saga*, especializada en reportajes truculentos, que aquel ser era en realidad un sasquatch —equivalente norteamericano del yeti, que dicen abunda en los bosques del norte del país— que él había logrado matar en 1960, cuando cazaba en la región de Minnesota.

Los dos zoólogos amigos jamás creyeron que hubiera engaño en lo que vieron. El belga escribió un artículo que aparecería publicado en el *Bulletin de l'Institut Royal de Sciences Naturelles* de Bruselas, en febrero de 1969. Y como era muy amigo de las taxonomías, no vaciló en conceder al extraño ser el nombre de *Homo pongoides* — pongo: nombre vulgar del orangután—. En cuanto a Sanderson, quien tuvo ocasión de fotografiar al monstruo, fue a consultar con Jack A. Ullrich, hidrólogo de Westport, Connecticut, sobre la posibilidad de que un hombre de las cavernas hubiera logrado conservarse en hielo durante varios miles de años, tal vez desde el Paleolítico.

La respuesta fue negativa. El proceso de descomposición de un ser cualquiera no se detiene, aunque se man-

Desde tiempos de Darwin, los científicos se han dedicado a rastrear el globo en busca del eslabón perdido. En la ilustración inferior Charles Dawson -a la izquierda-, descubridor del hombre de Piltdown.

tenga en hielo. Es necesario alcanzar el cero absoluto — es decir, 273 grados centígrados por debajo del momento en que se forma el hielo— para que se detenga el proceso. Y esa temperatura jamás se alcanza en la naturaleza. Sólo es posible aproximarse a ella por medios artificiales, como sucede en la llamada criogenia, cuando un cadáver es conservado en espera de que algún día se encuentre remedio para el mal que lo condujo a la tumba.

¿Acaso el cuerpo pertenecía a un sasquatch, como había afirmado Hansen?

¿De dónde llegó el monstruo, en realidad?

El hielo en el que permanecía encerrado aquel tipo rico en pelambre, siguió explicando Ullrich, era anormalmente transparente. No pudo ser congelado el ser en el mar o en un pantano de aguas sucias, porque habría aparecido turbia su figura. No había duda en cuanto a que había perecido hacía tan sólo unos cuantos años. Y su fin no pudo ser semejante al del mamut hallado en 1902 en el norte de Siberia, a orillas del río Beresovka, que se congeló repentinamente cuando se alimentaba a orillas de la corriente.

Afirman los expertos que no es posible congelar una masa tan gigantesca como es un mamut de manera rápida por la sola acción del hielo polar. Sucedería lentamente, formándose cristales en las células, y la carne quedaría inservible para su consumo en la mesa. Pero resulta que el mamut siberiano pudo ser comido por los cazadores que descubrieron al animal.

Para congelar tan repentinamente a aquel organismo hizo falta que la temperatura descendiese en cuestión de segundos, hasta alcanzar los 150 grados bajo cero, como mínimo. Y esto no es posible que sucediera en el lugar donde el mamut se alimentaba apaciblemente con las plantas acuáticas pertenecientes a la familia de las ranunculáceas. Y estas plantas crecen en los países que gozan de clima templado. ¿Qué sucedió entonces para que el mamut quedase convertido en un gigantesco sorbete?

Opinan los geólogos que pudo producirse una erupción volcánica y que por el cráter surgieron lava y gases a

enorme presión. Fueron proyectados a las capas más altas de la atmósfera, en cosa de segundos. Descendió poco después el aire frío hasta la superficie, congelándolo todo. El mamut quedó convertido en estatua de hielo, listo para permanecer conservado durante un largo número de siglos.

¿Fue algo semejante lo que sucedió al hombre peludo envuelto en hielo, contemporáneo acaso del enorme paquidermo, y tan peludo como él?

Surgen las primeras dudas

Sanderson fue a visitar entonces a su amigo John Napier, quien tenía a su cargo la sección de Primates del Instituto Smithsoniano, en la ciudad de Washington. Deseaba hacerle algunos comentarios acerca del ser que tanto le preocupaba. Napier se mostró sumamente escéptico al contemplar la fotografía del ser. Su rostro no pertenecía a ningún tipo de simio conocido. Intentó adquirir el ejemplar para el Instituto cuando acudieron ambos a ver a Hansen. Pero declaró éste que no lo tenía ya. El millonario se lo había llevado para sacarle una copia y le había prometido entregársela muy pronto. Esto hizo pensar a Napier que aquel asunto olía tan mal como había dicho Sanderson que le sucedía al hombre congelado.

Mientras tanto, Hansen seguía recorriendo el país exhibiendo el ser en-

Cocodrilos gigantescos, voraces tiburones de quijadas grandes como plazas de toros han sido tema preferido por los cineastas, pero a estos monstruos habrá que añadir los dinosaurios. Son seres que siguen cautivando a quienes sufren tan sólo de pensar en la posibilidad de hallarse frente a frente con animales tan descomunales.

vuelto en hielo, sin confirmar ni negar jamás su autenticidad. Era un tipo muy listo ese Hansen, tal vez más que el propio Barnum, además de embustero y gran publicista. Supo explicar que dos científicos sumamente serios habían declarado que el monstruo peludo era genuino, y es sabido que los buenos científicos jamás cometen errores.

En agosto de 1981, el periodista Michael Kerman, del *Washington Post*, tuvo ocasión de conocer a Hansen. Le preguntó si aquel supuesto Bigfoot —o pies grandes, otro de los nombres concedidos al sasquatch, visto mal por algunos sabios norteamericanos, porque es indio— suyo era el original o sólo una copia. El hombre sonrió y dijo que todo en la vida es ilusión. Pero esta filosófica ilusión dejó muy pronto de serlo gracias a otro periodista. Se llamaba Eugene Emery y trabajaba para el *Providence Journal*, que se publica en la capital del diminuto estado de Rhode Island.

Fueron a ver a Hansen dos antropólogos de la universidad Brown, que declararon a continuación lo siguiente: aquello era un fraude de lo más gordo. Emery escribió entonces un artículo que llamó la atención de cierta joven llamada Bonnie Delzell, dibujante que vivía en la capital del país y se encontraba casualmente en Providence. Explicó la joven al periodista que la primera vez que tuvo noticias del tal monstruo fue a fines del año 1960, de labios de su amigo Leonard C. Besson,

paleontólogo del Museo de Ciencias Naturales de Los Angeles, por lo que esa joven aconsejó a Emery localizar al científico y tener con él, cuanto antes, unas palabras.

Besson explicó a Emery que, en aquel año de 1960, un hombre se acercó a él en busca de consejo. Quería fabricar una figura especial, que pensaba congelar y exhibir en las ferias. Debería ser una réplica exacta del hombre de Neanderthal, recordó Besson que le dijo aquel individuo, cuyo nombre había olvidado. Pero no había olvidado, que Howard Ball, empleado del museo, se ocupó de hacer el trabajo.

Este Ball fabricaba modelos de toda clase para Disneylandia, en el suburbio de Annaheim. Fue el creador de los animales del "Crucero por la jungla", pero su principal especialidad fueron siempre los animales prehistóricos. Fue el autor, entre otras cosas, de los grandes dinosaurios mecánicos que presentó la Ford Motors en la Feria Mundial de Nueva York celebrada en el año 1964.

Creó el monstruo peludo en su estudio de Torrance, cercano a Los Angeles, para el cliente que pensaba convertirlo en hombre prehistórico congelado. Elaboró Ball la piel con goma de media pulgada y dispuso los brazos del ser en actitud defensiva. Y a petición del cliente abrió un orificio en un ojo, para que se pensara que había recibido una bala disparada por un extraterrestre llega-

Lo único cierto en la historia de Charles F. Coughlan es que existió realmente este personaje y que Galveston, como cualquier población del Golfo de México, ha estado siempre expuesta a sufrir la violencia de los muchos ciclones que se forman en verano en esta región, que habían dado ya buena cuenta, antaño, de muchos galeones españoles.

do a la Tierra hace 30.000 años o por un hombre contemporáneo que hubiera viajado hasta aquella época en una máquina del tiempo. Esto fue lo que contó a Emery la viuda de Ball, y añadió que aquel señor declaró que pensaba llevar la figura a México (donde jamás la vio nadie).

Cuando aún vivía Howard Ball, él y su esposa se divirtieron como locos al leer en la revista *Argosy* la noticia del caso y más aún cuando supieron que había dado la vuelta al mundo y que incluso la famosa revista francesa *Planète*, que siempre se jactó de no dejarse engañar por nadie, cayó en la trampa. Jamás pudieron pensar los esposos Ball que la broma hubiese llegado tan lejos. Añadieron que nunca hubo millonarios ni bloques de hielo flotando en las cercanías de las islas Aleutianas, y menos aún un cazador de focas ruso o unos chinos que se apoderaron del extraño ser peludo flotando a la deriva dentro de su prisión helada.

En cuanto a Frank Hansen se refiere, se tienen noticias de que siguió viajando unos años más, con su monstruo de goma, haciendo las delicias del público. Y se asegura que recuperó con creces su inversión inicial.

Historia del extraterrestre de Puebla

Y ya que se dijo algo del extraterrestre que pudo haber matado al hombre pe-

ludo, bueno será narrar a continuación lo sucedido en 1973 en la ciudad mexicana de Puebla, situada a unos cien kilómetros al este de la capital, donde alguien hizo correr hace años la noticia de que un inglés fue raptado por la nave espacial que llegó una noche desde los confines del cosmos.

Decía el autor de este infundio, el italiano Peter Kolosimo, en su libro *Ombre sulle stelle*, que en 1950 se presentó en la ciudad un inglés estrafalario proclamando por todas partes que tenía noventa mil dólares depositados en un banco, no recordaba cuál. Añadía que fundó un negocio de instrumentos de óptica, pero como lo que fabricaba este sujeto parecía no haber sido del agrado de las potencias de muy arriba, mandaron un mensajero a bordo de una nave espacial y un buen día se llevaron al inglés consigo, después de destrozar todo cuanto había en el negocio.

Esto es lo que explicaba Kolosimo en su libro, y de algún lado tuvo que sacar tan fabulosa noticia. El autor de la presente obra, que dirigía por aquellos tiempos en México una revista de lo insólito, buscó información en toda Puebla. Intentó entrevistar a los escasos·súbditos de su Majestad que habitaban en la ciudad, hurgó en los periódicos anteriores al año 1950, indagó en los bancos y nada obtuvo. Se acercó a

Muy cerca de la vieja catedral de Puebla, ciudad situada a escasos cien kilómetros de la capital de México, fue donde los tripulantes de un ovni raptaron a un inglés que podría causarles serios perjuicios. La noticia fue inventada por un escritor italiano, a quien no importó exagerar los hechos.

quienes pudieran recordar un acontecimiento tan extraordinario y, cuando desesperaba de hallar alguna referencia al suceso, dio con alguien. Era el administrador del antiguo Hospital Civil, quien no había olvidado la figura de un inglés llegado a la ciudad no en 1950, sino en los años inmediatos al fin de la II Guerra Mundial.

Sufría una terrible psicosis de guerra y tenía los nervios deshechos. Era cierto que presumía de ser dueño de varios miles de dólares, pero fuera de esto nada coincidía su historia con la que quiso resucitar el italiano, muy a su manera. En realidad, no hubo rapto de ningún inglés por una nave extraterrestre, sino que el pobre diablo falleció en el hospital mencionado. Había insistido en que le aplicasen una inyección de vitamina B, a pesar de que le ocasionaba serios perjuicios. Y eso fue todo. Resultó imposible identificar al desconocido para seguirle la pista, porque al construirse el nuevo hospital se extraviaron los archivos del viejo.

La historia del inglés de Puebla se complicó, a partir de un suceso aparentemente trivial, para convertirse en secuestro a escala cósmica. Después de escribir Kolosimo su libro, quedó aceptado el hecho de que hubo intervención extraterrestre en la desaparición del inglés desconocido. ¿No es curioso ver

¿cómo, a partir de una interpretación defectuosa, surge a veces un edificio de embustes y de errores inconscientes?

Pero no sólo en el terreno de los fósiles y de los extraterrestres abundan los fraudes y los errores. Son mucho más numerosos de lo que el lector pueda pensar...

No creáis todo lo que dijo Ripley

La historia del ataúd que navegó varios miles de kilómetros, flotando de manera maravillosa, figura en todos los libros dedicados al apasionante tema de los hechos insólitos, sin caer en la cuenta sus autores de que se basa en un error de interpretación.

El 8 de septiembre de 1900, un furioso ciclón había devastado la ciudad texana de Galveston, situada a orillas del Golfo de México, causando enormes pérdidas humanas y materiales. Se inundó gran parte de la localidad y las olas encrespadas llegaron hasta el mismo panteón y arrebataron numerosos ataúdes que se llevaron mar adentro. Entre las cajas que se echó a faltar se encontraba la que contenía los restos de un famoso actor fallecido el año anterior. Su nombre fue en vida Charles F. Coughlan.

Partiendo de algo que no parecía poseer demasiada importancia, se quiso inventar una historia inverosímil: que las olas habían arrastrado el ataúd hasta la isla del Príncipe Eduardo, situada muy al norte, entre la Nueva Escocia canadiense y Terranova, describiendo la más increíble de las travesías, puesto que la isla se halla en el interior de un golfo de difícil acceso. Y el pesado objeto encalló finalmente en una playa.

Unos pescadores se aproximaron a ver qué era aquello que les traía el mar. Descubrieron el nombre del difunto grabado en la placa del ataúd —es aconsejable escribir siempre el nombre del huésped en los féretros, por si un día se los lleva lejos el mar— y se ocuparon de informar a las autoridades. Coughlan recibió nueva sepultura en el cementerio del lugar, muy tranquilo y a prueba de robos marinos. Se dijo entonces que, curiosamente, aquella isla era la misma donde había nacido el viajero, que de manera tan insólita regresaba a su patria. La singular travesía fue dada a conocer en numerosos libros, periódicos y revistas serias, y ni un solo lector dejó

En un dominical de *Ripley*, Gertrudis Coughlan leyó que el ataúd que contenía los restos de su padre, desaparecido a resultas de un ciclón, había realizado un viaje extraordinario navegando 3.200 kilómetros, desde el Golfo de México hasta encallar al norte en la isla Príncipe Eduardo, itinerario fantástico que reproduce el mapa inferior.

de darla por buena, a pesar de ser rica en errores y confusiones.

En primer lugar, el actor no había nacido en la isla, sino en París, en 1841, de padres irlandeses adinerados. Casó en 1893, a la edad de 52 años, y adquirió una residencia veraniega en aquella isla del Atlántico canadiense. Fue a morir el 27 de noviembre de 1899, encontrándose de gira en Galveston. Es cierto que desapareció el ataúd de resultas del ciclón, que fue de verdad espantoso, y que su hija Gertrudis invirtió una fortuna en su búsqueda, cuando andaba por los 28 años de edad.

Había leído en uno de los *Aunque usted no lo crea* dominicales de Ripley que el ataúd de su padre había navega-

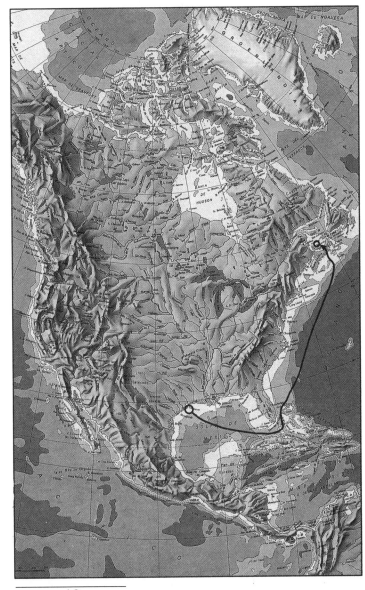

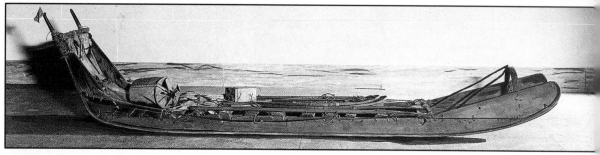

do 3.200 kilómetros antes de encallar en la remota isla del Príncipe Eduardo. Gertrudis observó al instante dos errores en la noticia: no eran correctos el lugar de nacimiento y la fecha de defunción de su padre. Debía exigir que corrigieran ambos datos y por qué se les ocurrió inventar aquel largo viaje por mar del ataúd.

Acudió a la oficina de Ripley, en busca de información. Le dijeron que la noticia les había sido facilitada por dos antiguos conocidos de su padre. Uno era Lily Langtry, una actriz inglesa que había tenido un cálido romance con el príncipe de Gales y que, despechada al verse un día rechazada, fue a recorrer el Far West y se lió con un tal juez Roy Bean, amigo de empinar el codo, que gustaba de ahorcar a quienes le eran antipáticos. Ni doña Lily ni la otra persona, cuya identidad permaneció secreta, supieron confirmar la noticia del ataúd llegado tan lejos.

¿Fue otra historia inverosímil, inventada y reformada por algún empleado de Ripley que deseaba enriquecer la tan gustada sección periodística, sólo para que se vendieran más suplementos culturales del domingo?

EL EXPLORADOR QUE JAMÁS LLEGO AL POLO NORTE

A comienzos del presente siglo existía una enorme expectación, en todo el mundo, en torno al inminente arribo al Polo Norte de algún temerario explorador. Los hombres amantes de la aventura se habían ido aproximando gradualmente a ese punto situado a escasos cien kilómetros del polo geográfico. Cada año lograba alguien alcanzar un punto más septentrional,

Trineo que usó el comandante estadounidense Robert Peary para llegar al polo Norte en abril de 1909, después de una tentativa que tres años antes fracasó.

una vez rebasado el Círculo Polar Ártico, línea imaginaria que pasa por Alaska, Islandia y el norte de Escandinavia y Siberia. Se especulaba en los centros científicos acerca de cuándo sucedería la proeza.

Y entonces se extendió por todas partes la noticia de que cierto Robert E. Peary afirmaba haber llegado al Polo Norte, el 6 de abril de 1909.

Surgieron las polémicas desde el principio

Un hombre, estadounidense como el otro, apareció entonces para negar la hazaña de Peary: declaró que a él ten-

drían que reconocer el gran mérito de haber llegado antes que nadie a la meta. Su nombre era Frederick A. Cook y era doctor en no sabemos qué. Los expertos dudaron de sus palabras, a pesar de que el individuo había realizado ya importantes exploraciones muy al norte, más allá del Círculo Polar Ártico. Consideraron que no aportaba a su reclamación pruebas suficientes que demostrasen el haber llegado antes que nadie al Polo Norte.

El Dr. Cook —nada que ver con el capitán del mismo apellido que había perecido casi siglo y medio antes a manos de los indígenas de las islas Hawaii, llamadas entonces Sandwich— murió algún tiempo después en la cárcel, cuando purgaba una condena por fraude cometido en los servicios postales. Con su salida de la escena se acabaron las discusiones entre sus partidarios, que eran muchos, y los de su rival, que eran más y muy influyentes en la política.

Entre los grandes amigos de Peary se contaba la National Geographic Society, que había patrocinado su expedición po-

La ambición por alcanzar la gloria ha sido tan desmesurada en muchos hombres, que, sin siquiera llegar a encubrir hábilmente sus fraudes, se han atribuido hazañas asombrosas. En el caso de las expediciones polares, como si el fraude de Peary hubiese sido poco, un tal Frederick A. Cook se adjudicó el haberlo logrado antes. Lástima que acabó con sus huesos en la cárcel por haber cometido otro fraude, esta vez en materia de servicios postales.

lar. Al cumplirse sesenta años de la proeza, y en vista de que no terminaban las discusiones, la sociedad pidió al explorador polar británico Wally Herbert que organizara un viaje para ir en busca de información y tratase de reproducir los pasos dados por el héroe en su expedición. Debía averiguar si se cometió algún error. La gente comenzaba a dudar de Peary.

El informe presentado por Herbert a la sociedad geográfica tardaría algún tiempo en aparecer en la revista. Era cosa de pensarlo. Apareció finalmente en ocasión de cumplirse el primer centenario de su creación, en septiembre de 1988. Iba a causar un gran revuelo. Y demostraría que la revista sabía reconocer sus errores.

Dio a conocer numerosas contradicciones

Reprodujo la revista lo que Wally Herbert descubrió al leer el diario y otros documentos de Peary, que se conservaban en el Archivo de la Nación, situado en la capital del país, ricos en errores y contradicciones. Al margen de lo investigado por Herbert, cierto Dennis Rawlins, amigo de hurgar allá donde viera asuntos sospechosos, dio a conocer sus propias investigaciones en un libro publicado en 1973.

Declaraba Rawlins que Peary jamás realizó observaciones astronómicas para determinar las coordenadas geográficas y la ruta a seguir cuando se desplazaba por la llanura helada y que la observación del Sol cuando, supuestamente, llegó al Polo Norte fue un lamentable fraude. Herbert afirmó, por su parte, que los registros consignados por Peary resultaron asombrosamente faltos de firmeza; que su diario no ofrecía ningún apunte durante las treinta horas que siguieron al momento en que él y sus compañeros aseguraron haber llegado a la meta; que sólo encontró, junto a las páginas en blanco, una sencilla hoja insertada, donde había escrito estas palabras: *¡Por fin, el Polo!*

Añadió Herbert algo sumamente extraño: que cuando Matthew Henson, compañero de Peary, fue a estrecharle la mano para felicitarle, el explorador miró para otro lado y se cubrió los ojos con ambas manos. Además, nada había escrito en su diario sobre la velocidad del viento, las condiciones meteorológi-

cas y del hielo, o cualquier posición basada en la observación del Sol, de la Luna y las estrellas para determinar las coordenadas geográficas. Por otra parte, la caligrafía de Peary parecía muy distinta a la suya habitual, el cronómetro estaba adelantado diez minutos y él no pareció estar enterado del error y el inglés no halló pruebas de que Peary hubiera corregido la ruta.

En consecuencia, Herbert llegó a la conclusión, igual que haría Rawlins poco después, de que Peary se equivocó en cien kilómetros en su objetivo. Peary había afirmado, además, que caminó desde la base hasta el Polo y regresó a ella, en tan sólo ocho días, a pesar de mediar una distancia de 235 kilómetros entre ambos puntos. Realizar una proeza semejante le pareció imposible a Herbert: incluso en la actualidad, cuando se dispone de vehículos apropiados para viajar por el hielo, resulta tal cosa imposible.

Rawlins descubrió algunos documentos que Peary había insistido en mantener ocultos, donde señalaba, de acuerdo con la observación hecha con el sextante, que cuando alcanzó el punto

Uno no logra explicarse, al contemplar la figura de Robert E. Peary, cómo pudo viajar por la desolada llanura ártica, helándosele el bigote, sin que éste se partiera en pedazos y se cayera al suelo. Pero es preciso reconocer que, a pesar de viajar sin comodidades, tuvo un temple envidiable.

más septentrional, le faltaban todavía 196 kilómetros para llegar al Polo Norte. No siguió adelante, sino que regresó a la base pretendiendo haber alcanzado la meta. No recorrió aquellos 196 kilómetros por una sencilla razón: era una distancia demasiado larga para recorrerla con escasas provisiones y en unos momentos en que amenazaba mal tiempo.

A la muerte de Robert E. Peary, quien se hizo llamar almirante sin serlo, su amigo y admirador Isaiah Brown, geógrafo y presidente de la universidad Johns Hopkins, además de director de la American Geographical Society, leyó los papeles del explorador, se enteró del fraude cometido y se hizo cómplice del mismo, al dejar ocultos los documentos. En cuanto al hombre de confianza de Peary, que pudo haber confesado la verdad de lo sucedido, es preciso decir lo siguiente: Matthew Henson, quien era de raza negra, sentía un enorme aprecio por su jefe desde que lo acompañó a Nicaragua, como sirviente suyo, en 1885. Peary había viajado a este país centroamericano como ingeniero civil, para ver si era posible construir un canal transístmico. Ya desde entonces se interesaba Estados Unidos por Nicaragua y en los canales que no eran de su incumbencia.

El honor de haber llegado antes que nadie al Polo Norte debería corresponder entonces al noruego Roald Amundsen, quien había sido el primero en navegar por el paso del Noroeste, en 1903, y en circunnavegar el Ártico. Fue el primer hombre en llegar al Polo Sur, en 1911 —acerca de su hazaña nunca existió la menor duda—, y murió en mayo de 1928 cuando acudió a rescatar al grupo de exploradores italianos que habían querido alcanzar el Polo a bordo del dirigible *Italia*, patrocinado por el propio Benito Mussolini.

Lo único que habían podido hacer los italianos fue dejar caer una bandera tricolor sobre la blanca llanura polar, así como una cruz que bendijo el Papa en beneficio de los expedicionarios, que tuvieron un final desastroso. El dirigible se desplomaría sobre el suelo helado, a causa del hielo acumulado, y se desprendió parte de la góndola. Nueve hombres quedaron tendidos en el hielo, que vieron elevarse la nave en cuanto perdió gran parte de su peso, con siete tripulantes a bordo. Nunca más se supo

de ellos. En cuanto a Amundsen, el hidroavión Latham-47 que acudió en auxilio de los náufragos se estrelló, muriendo todos sus ocupantes, entre ellos el explorador noruego.

Se dirá finalmente, para cerrar este capítulo dedicado al «almirante» Peary, que cuando el asunto quedó aclarado, Gilbert M. Grosvenor, presidente de la National Geographic Society, declaró lo siguiente: «Sugerir que Peary no llegó al Polo Norte es una cosa, pero afirmar que hizo trampa es otra.»

¿MURIÓ JUANA DE ARCO EN LA HOGUERA?

El 30 de mayo de 1431 fue quemada públicamente una joven en Ruán, ciudad de Francia situada a escasos cien kilómetros al noroeste de París, en la desembocadura del Sena. Su nombre había sido en vida Juana y desde hacía un año la llamaban también la «Doncella de Orleáns». Los clérigos que la condenaron a muerte en la hoguera esperaron hasta el último instante, se

Nadie ha puesto en duda una sola de las muchas proezas realizadas por el noruego Roald Amundsen, nacido en 1872 y muerto en el Ártico a la edad de cincuenta y seis años. Colocó la bandera de su país en el Polo Sur y se apresuró a realizar las adecuadas observaciones astronómicas para determinar su posición exacta, de tal forma que nadie pudiera llegar más tarde a acusarle de haber hecho trampa.

dice, que el diablo en persona acudiera a salvarla de las llamas. Y cuando los verdugos mostraron a la multitud los restos medio calcinados de la víctima, dejaron escapar todos los espectadores un suspiro de alivio.

¿Qué espantoso crimen había cometido Juana para que la Iglesia se hubiera ensañado con ella de manera tan despiadada? ¿Por qué no se presentó nadie a tenderle una mano para salvarla, a pesar de que la joven acababa de liberar una buena parte del territorio francés del dominio inglés, iniciado a partir de la famosa Guerra de los Cien Años?

Para comprender el drama de Ruán será preciso retroceder unos años en el tiempo, hasta el siglo VI después del nacimiento de Cristo.

Fueron años ricos en profecías

Un personaje casi legendario que vivió en la corte del rey Arturo era temido por todos los buenos súbditos de su majestad a causa de sus extraños poderes y, en especial, porque sabía predecir el futuro. Una de sus profecías se refería a un desastre que sucedería un día al otro lado del Canal de la Mancha.

Se llamaba Merlín y fue conocido también como el Mago o el Tenebroso Merlín. Había declarado que una mujer pecadora hundiría al reino de los francos y que una doncella llegaría un día a salvarlo por medio de un milagro. El señor Merlín jamás especificó nada acerca de la fecha en que se cumplirían sus dos profecías, ni supo decir quiénes serían las dos damas. Nada sucedió durante los siguientes siglos, hasta que en 1420 tuvo lugar un acontecimiento que podría relacionarse con la señora pecadora.

Resulta que, por culpa de Isabel de Baviera, la reina adúltera, Francia tuvo que ceder a Inglaterra una porción importante de su territorio, en el curso de la Guerra de los Cien Años. Los franceses algo más instruidos supieron entonces que se había cumplido la primera profecía merlinesa. Ahora tendrían que esperar pacientemente el arribo de la doncella que salvaría al país que le devolvería su soberanía, como se dice en nuestros días. En 1426, una tal María de Aviñón, que recorría Francia anunciando la pronta llegada de la doncella, se presentó un día en el

La pequeña población francesa de Chinon, situada a orillas del río Vienne, afluente del Loira, debe su fama al ruinoso castillo del siglo XII donde el Delfín recibió a una joven de carácter decidido que no tardaría en salvar a Francia de la dominación inglesa.
De acuerdo con un viejo grabado medieval, así fue como la joven Juana de Domrémy se presentó ante el Delfín, la cabellera suelta, unos dedos exageradamente largos, en especial el índice, y la nariz puntiaguda y horrible. Carlos parece contemplarla con asombro, poco acostumbrado a apariciones tan poco usuales.

castillo de Chinon y pidió ver al príncipe Carlos, hijo de la adúltera.

Mientras esto sucedía en Chinon, una muchacha de catorce años comenzaba a inquietar a sus vecinos en el pequeño poblado de Domrémy, en Lorena. Se llamaba Juana y decía a quien quisiera escucharla que conversaba a diario con los santos y los ángeles, cuantas veces le venía en gana. Y si bien al principio los vecinos tomaron a broma sus pretendidas entrevistas, no tardaron las autoridades en inquietarse. No querían tener dificultades con nadie.

Algunas personas echaron la culpa de todo a las historias que la niña solía escuchar de labios del señor cura, sobre la vida de las santas. Pero, ¿fueron aquellos relatos y otros que leyó Juana en los libros de estampas—noticia algo absurda, pues se dice que era analfabeta— lo que inflamó su imaginación, al punto de creerse una heroína escogida por el Cielo para realizar hazañas prodigiosas? Curiosamente, los personajes a los que se dirigía en sus entrevistas y de quienes escuchaba sus palabras eran los mismos que figuraban en los libros de estampas: santa Margarita, santa Catalina y el arcángel Miguel.

Cuando creció más de lo tolerable el número y frecuencia de las entrevistas celestiales, el clero no tuvo más remedio que intervenir. Aquello era demasiado. Amenazó a Juana con la excomunión y hasta exorcizarla, si era preciso. Los seres con los que hablaba la muchacha sólo podían ser demonios del infierno. ¡Los santos de verdad jamás se molestan en sostener diálogos con una niña tonta!

Juana gana adeptos a su causa

Nada obtuvo el cura de Domremy al amenazar a Juana. Por el contrario, vistió la joven ropas masculinas y se dirigió al vecino pueblo de Vaucouleurs, donde ganó a su primer adepto para la causa libertadora: el capitán Robert de Vaudricourt. ¿De dónde sacó Juana la certeza de que era la doncella anunciada en la vieja profecía? ¿Alguien, cuyo nombre no ha conservado la historia, se lo dio a entender? ¿Fue en los relatos escuchados en su infancia que halló el camino a seguir?

Lo único que puede decirse es que la joven fue recibida con cierto recelo por el clero a su paso por los pueblos de Francia, así como los campesinos la miraban con respeto temeroso, y que llegó finalmente a las puertas del castillo de Chinon, situado cerca de Tours y del río Loire. Pidió entonces al capitán de Vaudricourt que llevase un mensaje al Delfín de Francia, es decir, al príncipe heredero: ella había sido elegida para salvar la ciudad de Orleáns del asedio inglés, después de lo cual haría coronar a Carlos en la catedral de Reims. ¿No era para pensar que aquella joven ataviada con ropas hombrunas se había vuelto loca o que era una farsante?

Sin embargo, el Delfín se mostró dispuesto a recibir a la joven, pero sólo con intenciones de burlarse de ella. El 6 de marzo de 1429 entró Juana en el salón de audiencias, ocupado por una multitud de cortesanos. Carlos se había escondido, dice la historia, detrás de varias hileras de nobles, seguro de que Juana se desconcertaría y haría un papel tan ridículo que correría al instante a su Domrémy natal, muerta de vergüenza. Pero no fue así. Al parecer, la joven se encaminó sin titubeos hacia

La historia recoge en sus anales innumerables casos de supuestos visionarios o iluminados cuyas profecías jamás se cumplieron. Mas no parece ser éste el caso de Juana de Arco quien, siguiendo desde su niñez los mensajes que una voz le transmitía y desafiando a quienes la tildaban de loca o farsante, liberó la ciudad de Orleáns de la dominación británica.

el rincón donde se ocultaba el Delfín y le dijo unas palabras al oído. Jamás aclaró Juana en qué consistieron las palabras ni cómo pudo identificar a Carlos, a quien no tenía el gusto de conocer. Pero dijo en voz alta algo sobre unas voces que la guiaron hasta el lugar donde se encontraba el futuro soberano de Francia. Y volvió a afirmar que muy pronto liberaría a Orleáns y que sería traicionada por sus compatriotas, el siguiente año.

¿Fue Juana una santa de verdad, una mujer enviada por el Cielo para ayudar a los virtuosos franceses a defenderse de las asechanzas de los malvados ingleses, como afirmaría más tarde la Iglesia en Francia? ¿Fue tan sólo una mujer dotada con poderes que en la actualidad se llamarían psíquicos, según es opinión de quienes saben de estos temas?

Los ingleses abandonan la ciudad de Orleáns

De vez en cuando nace en el mundo un ser dotado con facultades aparentemente inexplicables, que comienza por asombrar a sus congéneres y termina

haciendo de sus dones un negocio. Así sucedió hace años con Uri Geller y aún más tiempo con Jeanne Dixon, la profetisa norteamericana que anunció la muerte de John F. Kennedy cuando todos en Estados Unidos sabían que su vida estaba en peligro. Y a fines del siglo pasado vivieron hipersensitivos como el escocés Daniel Dunglas Home, la italiana Eusapia Palladino y otros que permitieron a los científicos estudiarlos a placer.

Pero en los tiempos de Juana de Domremy no sucedía así. Se miraba con recelo a quienes poseían poderes paranormales. La Iglesia quemó a numerosos médiums, en especial mujeres, acusados de practicar la brujería. Y estos poderes, dice la ciencia, se transmiten por herencia biológica. En algunos países donde la Inquisición no encendió

Fueron muchos los presagios que se cumplieron en torno a la proeza de la Doncella de Orleáns, entre ellos la muerte de un soldado que intentó violarla. No obstante, el ejercicio de los poderes paranormales no era bien visto en esos tiempos, especialmente por la Iglesia, que no dudaba en enviar a la hoguera a quienes los poseyeran, acusándolos de practicar la brujería.

hogueras en las plazas públicas, abundan los seres dotados con esas facultades psíquicas : Polonia, Austria, Rusia y Holanda, entre otros. Pero a Juana de Arco jamás la contemplaron sus paisanos con admiración por tan notable sensibilidad, sino que la consideraron con temor. En especial aquellos que, por razones de alta política, estaban a favor de los ingleses.

Porque resulta que la Doncella fue a liberar, finalmente, la plaza de Orleáns. Y lo hizo en circunstancias por demás sorprendentes. En primer lugar, antes de lanzarse a la batalla al frente de sus hombres, en contra de los deseos del perplejo Delfín, se dirigió a las fortificaciones ocupadas por los enemigos y los conminó a abandonarlas si no querían verse en muy serias dificultades. Y como sir William Gladsdale, comandante de las tropas inglesas, tomara a burla las palabras de la joven, le anunció ésta que no sobreviviría al combate.

La operación Orleáns se inició la noche del 28 de abril de 1329, cuando Juana ordenó a su ayudante Gilles de Rais — el mismo que años más tarde ganaría muy triste celebridad al asesinar a cientos de niños y pagaría por ello en el cadalso— que llevara por el río Loire al primer grupo de hombres. Debían alcanzar un punto de las murallas que no tenían vigilado los ingleses. Y entonces sucedió lo increíble, casi un milagro: descendieron las aguas del río, sorpresivamente, lo que permitió el rápido ingreso de los franceses en la ciudad amurallada, donde fueron recibidos con júbilo por la población. ¿Se consideró milagroso lo que pudo haber sido, en realidad, la ruptura de un dique levantado río arriba por la heroína unas horas antes de iniciar el asedio? La historia jamás se ocupó de aclarar este punto.

Los franceses dieron buena cuenta de sus enemigos desconcertados, que vieron aparecer, de improviso, lo que tomaron por un ser sobrenatural esgrimiendo una espada. Uno de los primeros ingleses en caer fue, como era de suponer, sir William Gladsdale; y no fue su muerte la única que Juana había anunciado. Murió un soldado que cometió el error de intentar violar a la Doncella, así como el duque de Alençon, que era de los buenos, salvó la vida cuando Juana le rogó que se retirase de

ın lugar a donde una bala de cañón iría
ı caer segundos después.

El Delfín es coronado en Reims

No fue ésta de Orleáns la única victoria
obtenida por aquella a quien comenzaban a llamar Doncella de Orleáns.
Mientras tanto, Carlos callaba y esperaba. Se enteró de que el pueblo de
Patay había caído en manos de los franceses y que la ciudad de Reims no pertenecía ya al enemigo. Por fin, en la
segunda semana de julio sucedió lo que
nadie pudo imaginar un año antes: el
Delfín fue recibido para ser coronado
como Carlos VII por el arzobispo
Régnault de Chartres. Se cumplía otra
profecía de Juana.

No todos en Francia recibieron con
alegría los triunfos de la Doncella. El
clero estaba indignado, porque la joven
les quitaba popularidad. Alguien recordó entonces que la religión católica
prohíbe la práctica de la adivinación y
se inició de inmediato una campaña de
descrédito de Juana ante el nuevo soberano francés, a quien acusaron de pro-
teger a una hechicera. El desaliento se
apoderó de la heroína al ver que perdía
gradualmente el favor del rey y que
dejaba de obtener victorias en el campo
de batalla. Solicitó permiso para retirarse a su pueblo natal. Imposible. Se
había convertido en un elemento peligroso para la seguridad del Estado,
decidió Carlos VII. Había que hacer
algo con la joven.

Encontrándose el 24 de mayo de
1430 cerca de Compiègne, ese lugar
cercano a París donde cinco siglos más
tarde se firmarían los armisticios de
1918 y 1940, los acompañantes de la
Doncella la abandonaron repentinamente, como respondiendo a una con-
signa secreta. La joven se vio rodeada
de soldados enemigos. Su carrera militar había terminado.

Juana sobrevivió sólo un año a su
captura. El tribunal que la juzgó la
condenó a perecer en la hoguera. ¿Fue
víctima de la ignorancia de la época o de
las intrigas políticas y de ciertos intereses mezquinos? ¿Sufrió la venganza de
un clero corrupto que veía con desagra-
do a la joven apartarse de la Iglesia,
poniendo en peligro a la institución?
¿Se la miraba con temor por ser dueña
de maravillosos dones espirituales que
nadie era capaz de comprender?

El hecho de que la Iglesia reconociera, en última instancia, que Juana de Arco había sido una heroína y, en consecuencia, la santificase, no impidió que en su momento la quemasen viva, así como tampoco ha evitado que perduren hasta el día de hoy las dudas en cuanto a si en realidad fue una heroína iluminada o una simple bruja.

Cinco siglos y medio han transcurrido desde que Juana de Arco, Doncella
de Orleáns, murió en la pira funeraria,
y a pesar de que la Iglesia reconoció
finalmente en ella a una heroína y la
convirtió en santa, siguen las dudas en
cuanto a si fue o no una bruja...

En 1235, el papa Gregorio IX había
creado el Santo Oficio de la Inquisición
para extirpar de raíz lo que se consideraba herejía y hechicería. Se promulga-
ron diversas bulas para acabar, en toda
la cristiandad, con las brujas. Pero lo
único que se consiguió fue que crecieran
en número, de tal manera que otro
papa, Inocencio IV, se vio forzado en
1252 a autorizar la tortura de los acusados, para obtener su confesión. Veinte
años más tarde era quemada públicamente en la ciudad de Toulouse, en el
sur de Francia, la primera mujer acusa-

da de practicar la brujería. Y a ésta no tardarían en seguirla muchas de verdad y otras que ni por asomo practicaron jamás la hechicería. Unas poseían algún que otro don que no tienen las personas normales y las otras eran tontas de remate.

¿Fue quemada Juana por motivos políticos?

Desde que la humanidad existe, ha sido recurso sumamente provechoso librarse de quien no se estima por medio de una oportuna denuncia y a ello contribuyó antaño el hecho de que los acusadores tenían derecho por ley a quedarse con una parte de las propiedades de la víctima, mientras pasaba el resto a engrosar las arcas reales o municipales. A veces no era el dinero lo que se buscaba, sino quitar de en medio a un enemigo político, como sucedió con Jacques de Molay, gran maestre de la Orden Templaria: fue quemado en 1314 por orden de Felipe el Hermoso, temeroso del poder adquirido por los templarios. Y algo por el estilo debió suceder un siglo más tarde, cuando las acusaciones en contra de Juana condujeron a su muerte en la plaza del mercado, en Ruán. ¿Murió Juana por motivos netamente políticos o quienes la condenaron a la hoguera lo hicieron convencidos de que libraban a la humanidad de una bruja peligrosa?

Todo permite suponer que la respuesta a ambas preguntas sería afirmativa, así como puede añadirse que en la condena de Juana fue decisiva la ignorancia del pueblo, incapaz de comprender los poderes paranormales de la Doncella, tanto como la intervención del ex-obispo Pierre Cauchon. Había sido rector de la Universidad de París hasta 1420, cuando lo nombraron obispo de Beauvais, población situada a corta distancia de la capital francesa.

Al poco tiempo de ocupar la diócesis estaba dedicándose ya a intrigar a favor de los ingleses. Fue expulsado del obispado por orden del Delfín y tuvo que andar de un lado para otro tratando de ganarse la vida. Finalmente, en mayo de 1430 recibió de manos del duque de Borgoña, otro traidor vendido a los ingleses, la prisionera Juana de Arco, que acababa de ser capturada. Había llegado el momento de demostrar a los invasores cuán grande era su apoyo incondicional. Si llevaba la pri-

sionera hasta ellos, sería recompensado con el arzobispado de Ruán.

Y encontrándose Juana prisionera en una torre de Ruán, se lanzó al vacío, y aunque sólo recibió contusiones leves, la reacción general fue de indignación. Si la joven pretendió quitarse la vida, se dijo, era porque renegaba de Dios. Sólo una bruja era capaz de cometer ese crimen. En consecuencia, para evitar que volviese a cometer un acto tan poco cristiano, hubo que acelerar el proceso, en el curso del cual pronunció la acusada palabras tan ricas de sensatez que Cauchon temió por su futuro. Decidió averiguar si la joven era tan doncella como afirmaba.

La duquesa de Bedford entró el tercer día en la celda, acompañada por dos

damas de la nobleza, e informó sobre el examen practicado a la prisionera: era doncella, en efecto. Es decir, que no podía ser acusada de bruja, porque era requisito indispensable haber cohabitado con el diablo. El dictamen significó otro golpe para Cauchon. Sugirió suspender el proceso durante algún tiempo, mientras encontraba otras pruebas que hundieran a la acusada.

El proceso se reanudó el 21 de febrero de 1431, pero como viera el ex-obispo que algunos jueces se mostraban reacios a condenar a quien consideraban inocente, los despidió y decidió proseguir el juicio en el calabozo, en presencia del inquisidor Jean Le Maistre, del promotor de la fe Jean d'Estivet y del sustituto Jean Beaupère. Se afirmó

Los puntos de vista cambian, de acuerdo con los tiempos. Cuando la actriz Ingrid Bergmann interpretó el papel de Juana de Arco en una película vieja ya de treinta años, la leña en que ardió la heroína era tan abundante que dominaba sobre el paisaje. La gente que fue contemporánea, o casi, de la Doncella se mostró más modesta: hubo poco combustible, pero la concurrencia fue numerosa.

entonces que Juana no hablaba con los santos, sino con los demonios, y que en cierta ocasión desenterró una raíz de mandrágora con la que preparó fórmulas mágicas que servirían para ponerla en contacto con los espíritus malignos. Pero fueron inútiles los esfuerzos por lograr que la joven confesara sus crímenes. Si la acusaban de haber vestido ropa masculina, respondía que fueron los ángeles quienes se lo ordenaron. Si le preguntaban si los ángeles andaban desnudos, contestaba que Dios no carece de medios para vestirlos.

Acusaron entonces a Juana de incurrir en el pecado de escándalo, al vestirse como un hombre. ¿Y quién, sino el propio diablo, iba a ordenar tal cosa? Y al empuñar la espada, ¿acaso no rea-

se prestó el 24 de mayo a admitir que había vivido en el error y deseaba regresar a la Santa Iglesia. La obligaron entonces a firmar un documento, so pena de ser quemada de inmediato. Y cuando Juana hubo estampado una cruz a manera de firma, la Iglesia la perdonó. Solamente la castigó a permanecer en prisión el resto de sus días.

Nace la increíble leyenda de Juana

Sin embargo, y a pesar de las muchas promesas hechas a Juana por Cauchon, la acusada fue conducida el 30 de mayo a la plaza del Mercado. Por el camino, el pueblo entero tuvo ocasión de escucharla hablar. Mencionaba unas voces que le decían que no tardaría en ser vengada.

Colocaron sobre su cabeza una mitra infamante con las palabras «hereje, idólatra, apóstata». La hicieron subir a lo alto de un montón de leña, para que las llamas tardasen más tiempo en alcanzar a su cuerpo y se prolongase el martirio. Encendieron la hoguera.

¿Intuyó Juana que muy pronto sería vengada su muerte injusta? ¿Fue sólo una coincidencia que el ex-obispo Pierre Cauchon muriese de repente, muy poco tiempo después, mientras le atendía su barbero? Jean d'Estivet pereció de lepra. Nicolás Midi, juez del tribunal que dirigió a Juana en la hoguera unas palabras llenas de rencor, cayó a una alcantarilla y lo devoraron las ratas.

En cuanto a Carlos VII, mostró gran indiferencia por el destino de aquella que le había devuelto el trono. Tal parecía que todos en Francia se alegraban por la muerte de la Doncella de Orleáns. ¿Por qué no quiso interceder el rey para que fuera perdonada? ¿Sería porque le desagradaba saber que fue gracias a una hechicera que recobró el reino perdido por culpa de su madre adúltera?

¿Fue Juana víctima de oscuras intrigas palaciegas? ¿Conoció algún secreto real y fue quemada para que no lo fuera a divulgar? ¿Se convirtió en víctima de la superstición de la época, porque el pueblo miraba a quienes poseían facultades psíquicas como si fueran vulgares brujas?

Y, por último, ¿murió realmente Juana en la hoguera, como afirman los libros

lizaba la joven un acto de magia ceremonial? Y si montaba a caballo, ¿no era que cabalgaba en el corcel como si fuera la escoba que la conduciría a las reuniones del aquelarre? Estas y otras acusaciones igualmente absurdas formarían la larga relación de cargos que se presentó más tarde a la Doncella. Además, era blasfema, falsa profetisa, invocadora de espíritus satánicos, cismática, indecente, seductora de príncipes y vanidosa. Es decir, que los acusadores tenían ante ellos a una criminal depravada.

De repente, de manera inexplicable, desapareció la acusación de bruja, que no había servido para nada, y fue sustituida por la de hereje, que sí era terrible. En tal caso, se imponía el tormento para obtener la confesión. Se convocó al verdugo, pero no tuvo que intervenir. Ante la insistencia de Cauchon y la promesa de perdón si confesaba, Juana

Las infamantes acusaciones de que fue objeto la Doncella de Orleáns la perfilaron como una vulgar y viciosa criminal, por lo que se ensañaron al quemarla, poniéndola lo más lejos posible de las llamas para que su martirio fuese más prolongado. ¿Pero fueron simples coincidencias las muertes de algunos de los que la habían condenado, ocurridas poco tiempo después de su quema?

de historia, o sacaron de la celda a otra mujer que ocupó su lugar en la pira?

Curiosamente, ocho años después del drama de Ruán, se presentó en la ciudad de Orleáns una dama que fue reconocida al instante como Juana por las personas que tuvieron ocasión de conocerla en el castillo de Chinon y por su propia madre. El 30 de julio de 1439, la población de Orleáns agasajó a la joven de veintisiete años con un banquete y así consta en los registros de la casa consistorial. ¿Era en realidad la Doncella la persona que se presentó en la ciudad por ella recuperada? ¿Se trataba de un fraude hábilmente urdido?

No era la primera vez que aparecía esta misma joven después de su supuesta muerte. En mayo de 1436, es decir, cinco años después de «perecer» en la hoguera, había sido vista en Metz, población cercana a Domrémy. Algunas personas la reconocieron de inmediato, entre ellas los dos hermanos de la heroína, Jean y Pierre de Lys. A nadie se le ocurrió entonces pensar que la desconocida estuviese burlándose de la gente. Y curada de su vieja afición a vestir ropas masculinas, se dijo que la joven casó el 7 de noviembre del mismo año con el señor de Amboises. El matrimonio visitó Orleáns años más tarde y ella fue reconocida por varios vecinos de la ciudad, entre ellos Gilles de Rais, su antiguo compañero de armas, a quien no le daba aún por matar niños.

Sin embargo, se cuenta que la señora de Amboises fue desenmascarada el siguiente año y que se mostró muy arrepentida ante los magistrados de París. Declaró en su defensa que se había hecho pasar por la heroína, halagada al ver que algunas personas se habían fijado en su notable parecido con la Doncella.

Pero hay algo más en torno a Juana de Arco. Existe una curiosa creencia que se refiere a su nacimiento. Se decía que no era hija de campesinos, sino una bastarda real, fruto de los amores adúlteros de Isabel de Baviera, madre del Delfín de Francia, con su amante de turno, Luis de Orleáns.

¿Tenía conocimiento, el que sería coronado en julio de 1429 en la catedral de Reims como Carlos VII, que la joven que le habló al oído en el castillo de Chinon era su hermanastra y que podría significar un serio peligro si triunfaba en demasiadas batallas y adquiría

Grigori Efimovich Rasputin debió ser, desde sus mocedades, tal como aparece en esta fotografía. Es decir, que conocía el poder hipnótico de una barba descomunal y negra, unida a un par de ojos inquisitivos y a una falta completa de aseo personal. Esta suma de atractivos suele ejercer una notable influencia sobre las personas poco firmes, como debieron ser Nicolás Romanoff y la familia real.

un prestigio que él, como rey, jamás lograría alcanzar?

Pero conozcamos ahora la historia de un personaje mucho más cercano, en el tiempo, a nosotros, a quien la mayoría de los historiadores ha puesto como un trapo, sin molestarse ninguno, o casi ninguno, en averiguar si fue cierto todo lo que de él se dijo ...

¿FUE RASPUTÍN UN AUTÉNTICO PATRIOTA?

No es cierto que Rasputín, aquél a quien llamaron el monje tenebroso sus enemigos, haya sido tan nefasto y corrupto como la historia ha insistido en afirmar. Sucede que, desde el principio, se quiso empañar su figura, en especial por parte de la aristocracia rusa y de los fabricantes de armas. Y sabemos que la historia suelen escribirla los poderosos y los que siguen con vida. En realidad, hay razones para pensar que Rasputín fue un patriota, a pesar de sus debilidades, muy naturales en todo ser humano.

Pero antes de conocer algo más de este personaje, veamos que han dicho de él los libros de historia.

Poseía notables poderes paranormales

Explican que en las postrimerías del régimen zarista sucedieron en Rusia dos acontecimientos que siguen intrigando al mundo, porque jamás lograron ser aclarados en su totalidad. Uno fue protagonizado por la princesa Anastasia, de quien se dijo que tal vez logró salvar la vida en ocasión de ser asesinada por los bolcheviques la familia de Nicolás II a la que pertenecía. No han faltado las mujeres que, a partir de aquel día aciago, fueron por el mundo declarando ser la verdadera Anastasia. Pero nadie creyó en ellas, en especial los nobles que custodiaban en el extranjero los restos del tesoro real.

El otro suceso, más impresionante, fue la muerte de Rasputín, en cuyo organismo dice la leyenda que no hizo mella el veneno que le dieron una noche sus enemigos en una cena. Pero, para mejor comprender el extraño fin del monje tenebroso, ¿no será acaso conveniente dar un salto hasta su juventud y acompañarlo en el camino que lo condujo a la fama y al poder en la corte zarista?

Si Grigori Efimovich Rasputín viviera todavía, sería un saludable anciano de ciento diez años y poblada barba blanca, puesto que nació en 1882, en la aldea de Provsckoie. No tardó en ser respetado y temido por sus vecinos, porque detrás de sus ojos, negros e inquisitivos, se ocultaba una voluntad férrea que subyugaba. Parecía leer los pensamientos ajenos y era capaz de identificar a un ladrón de caballos entre un grupo de individuos aparentemente respetables. Y sabía predecir el futuro, causando el consiguiente pánico entre el público. ¿Era de verdad un santón como se decía, o un hábil embaucador que se aprovechaba de la ignorancia e ingenuidad de los campesinos? Por lo que fuera, la

celebridad que iba adquiriendo rápidamente no tardó en rendir frutos.

En 1903, siendo un joven de apenas veintiún años, irrumpió en la ceremonia de canonización de cierto fr. ile Serafín para lanzar una profecía. Entre los asistentes al acto se encontraba Piotr Stolypin, primer ministro del zar, quien pudo escuchar también las palabras del barbudo desconocido:

«—Nuestros amados zares han estado esperando inútilmente un heredero varón, después de tantas princesas. Y han perdido ya las esperanzas. Pero yo les digo que el zarevich arribará a este mundo antes de un año.»

¿Quien era aquel individuo estrafalario, de mirada penetrante, como de exaltado, que lograba comprender el alma rusa, tan aficionada a lo maravilloso? Indagó el primer ministro acerca del joven y supo que había recorrido las Rusias ejerciendo las tareas más diversas, hasta que entró en contacto con la secta de los fanáticos *skoptsis*.

Formaban un curioso grupo de castrados

No existe ya, al parecer, esta secta, pero las ceremonias que realizaban en aquellos tiempos eran terriblemente brutales y cuesta trabajo aceptar que hubieran existido. Al triunfo de la Revolución de Octubre fueron eliminados estos sujetos de raíz, pero los bolcheviques no pudieron evitar las consecuencias de los salvajes actos cometidos en el curso de los ritos, contra los cuales es posible que jamás se opusiera el zar Nicolás II; le apasionaba todo lo esotérico. En sus ceremonias sagradas, los tales *skoptsis* exigían la castración de los fieles varones, que eran drogados o embriagados antes de suceder lo que todos esperaban y no parecían temer.

Se iniciaba el sorprendente culto con cánticos, para acelerar la venida del Espíritu Santo, cuya presencia era captada finalmente por los fieles reunidos. Comulgaban entonces con pedazos de pan blanco adornado con una cruz y se preparaban para el siguiente paso, que no poseía tanta pureza ni tanta poesía. Empujaban al neófito drogado hacia un tronco hueco, sobre el cual debía tomar asiento. El sacerdote a cargo del rito, oculto bajo un orificio abierto en el tronco, realizaba la emasculación con mano experta, producto de una larga práctica. No vaya a creer el lector que protes-

taban los adeptos por el violento abandono de sus atributos viriles. Tal vez sería porque acababan de tomar parte muy activa en escenas de desatado erotismo.

Resulta que uno de los aspectos más importantes del rito consistía en castigar al demonio que llevamos todos dentro, con todas las energías. Y la mejor manera de hacerlo era cometiendo todo género de excesos sexuales por medio de los órganos concedidos por Satanás al hombre. Después de llegar a su fin las orgías desenfrenadas, en las que participaban todos con enorme entusiasmo, venía la ceremonia de castración, para dar oportunidad al pecador de purificarse y echar de su cuerpo al demonio. No volvería a caer nunca más en la tentación, seguro que no.

Nuestro amigo Rasputín llegó a la presencia de la secta, cuyos miembros debieron enseñarle un buen número de pequeños trucos, como era castigar al diablo sin pagar por ello tan desagradable precio. No hay que censurar al futuro monje si no era tonto. Supo abando-

Poco antes de ser masacrada en su totalidad por los triunfantes bolcheviques, la familia real rusa posó ante la cámara. Sentado, Nicolás II, junto a la zarina, y rodeados ambos por sus hijas, todas guapísimas. En el suelo está sentado el zarevich, a quien el monje Rasputín supo devolver ese aspecto saludable de los niños que tanto agrada a las mamás.

nar a tiempo el lugar, llevando consigo una inmerecida fama de santón que agradó a unos y molestó a otros.

Tenía el don de atraer a las damas

Cansado tal vez de no encontrar la oportunidad que con tanto empeño andaba buscando, terminó Rasputín por regresar a su pueblo natal, con la sana intención de sentar cabeza y casarse. A su arribo se dividieron muy pronto las opiniones: era un santo varón para unos — en especial las mujeres— y un canalla sin escrúpulos para la mayoría. Triunfó a la postre la opinión de los caballeros y Rasputín tuvo que abandonar la aldea a toda prisa.

Llegó a la ciudad de San Petersburgo, donde entabló amistad con algunos prominentes ciudadanos. Figuraba entre éstos el periodista Petrovich Sasonov, quien en 1903 había tenido ocasión de escuchar la profecía del todavía joven Rasputín. La profecía, ¡oh, maravilla!, se había cumplido al pie de la letra. Y la recia personali-

dad, el extraño fulgor de sus ojos, la energía que parecía emanar de su ser, causaron tan tremenda impresión entre quienes tuvieron ocasión de conocer al monje, que el propio zar quiso saber personalmente cómo era.

Fue siempre muy amigo Nicolás II, y lo mismo le sucedía a la zarina, de consultar con brujos, profetas, hechiceros y otros seres poseedores de alguna facultad fuera de lo normal. El alma rusa, desde el zar hasta el más miserable de los *mujiks*, estaba enferma de misticismo. Todo lo que oliera a magia agradaba al soberano. En fecha reciente había invitado a venir desde Francia al famoso Monsieur Philippe, un mistagogo nacido en la ciudad de Lyon a quien había tenido la fortuna de conocer en 1896.

Este Antelmo Philippe, cuya madre no dejó de cantar durante el parto, todo porque el señor cura de Ars le había anunciado que daría a luz a un ser

El zar Nicolás II, así como la Zarina, era tan marcadamente proclive al esoterismo y a todo lo que tuviera tintes de magia, que hizo venir de Francia a Monsieur Philippe, cuyas dotes de curandero eran muy famosas. La relación con él se convirtió en una estrecha amistad hasta que le sucedió Rasputín, con quien el zar mantuvo un vínculo de amistad más profundo aún.

excepcional, se convirtió en curandero desde su infancia. Además, sabía hacer crecer los dientes a un niño, tornarse invisible y caminar junto a alguien sin que éste se diera cuenta, calmar el viento, provocar la caída del rayo, detener el corazón para reanimarlo al instante y reponer el dedo cortado de un obrero que sufrió un accidente de trabajo, entre otras muchas cosas. Era un estuche de monerías el tal Monsieur Philippe.

En la corte rusa, el zar jamás adoptaba una resolución sin la previa consulta con el francés, a quien nombró médico en jefe del ejército sin importarle que careciera de título. Era muy natural que Monsieur Philippe se enajenase sin tardar el odio de los médicos de verdad y que desearan desenmascararlo para acusarlo de farsante ante el zar. Incluso la Iglesia rusa buscaba la manera de librar al país de aquel charlatán sin que el soberano se molestara. Y uno de los que con mayor ahínco lucharon contra el señor venido de Lyon, hasta conseguir que emprendiera la retirada, fue Rasputín.

¿Lo hizo por envidia? ¿Acaso porque deseaba lo mejor para la familia real y lo mejor era sin duda él? Imposible saber cómo se las arregló Rasputín para llegar no sólo a la presencia del zar y de su esposa, y menos aún cómo logró aliviar en ocasiones el terrible mal que amenazaba al zarevich, el único heredero varón al trono, que tenía varias hermanas mucho mayores que él.

Se ignora si el padrecito Rasputín logró brindar auténtico consuelo físico al niño o si lo único que puso a trabajar fue su poderosa sugestión hipnótica, arma poderosa. El caso es que Nicolás II, así como la zarina, se sintieron sumamente agradecidos al equivalente ruso de Monsieur Philippe por la ayuda brindada. No tardaron en olvidarse del francés.

¿En que consistía el terrible mal que aquejaba al heredero de la Corona de todas las Rusias?

Era una enfermedad de reyes

La hemofilia se ensañó en el pasado en varias familias reales de Europa y pudiera ser provocada por una degeneración resultante de las muchas uniones consanguíneas celebradas entre miembros de la misma familia real. Consiste en la excesiva fluidez de la sangre, según explica en pocas palabras cualquier diccionario, provocada por la ausencia de las plaquetas que contribuyen a cerrar las heridas.

En 1985, la ciencia estaba trabajando en la síntesis del factor VII, proteína compleja cuya ausencia en la sangre es causa fundamental de la hemofilia. Antes se obtenía esa proteína de la sangre y se purificaba para ser inyectada en los hemofílicos. Lo malo de la nueva técnica de la síntesis es su costo elevado y el hecho de exponer al enfermo a ciertos virus. En los cuatro años que siguieron a las primeras pruebas, ochenta y cuatro hemofílicos contrajeron en Estados Unidos el SIDA, de los que murieron más de la mitad.

Lo cierto es que los hemofílicos se enfrentan continuamente a muy serios peligros cada vez que sufren una herida. Podría decirse que pesa sobre ellos,

El supuesto alivio que lograba producir Rasputín en el zarevich, que padecía de un terrible mal, le valió la amistad incondicional de la influenciable pareja, que formaban Nicolás II y su esposa, y la ocasión de convertirse en el hombre fuerte de Rusia, circunstancia que no desaprovechó. Se ignora, sin embargo, la naturaleza de la enfermedad así como los medios de que se valió Rasputín para aliviar al zarevich, aunque no puede descartarse que todo haya sido producto del poder hipnótico que se le atribuía.

a todas horas, una amenazadora espada de Damocles: todo irá bien mientras no se lastimen. De sufrir un accidente, la sangre no logrará coagular y la herida no podrá cicatrizar. Este mal congénito no lo padecen las mujeres, pero son ellas quienes lo transmiten. Una forma conocida de acabar con el mal, además de utilizar el factor VII, es casar a los príncipes con princesas pertenecientes a familias en las que jamás se presentaron casos de hemofilia. O hacerlo con muchachas sanas y de buen color que jamás tuvieron nada que ver con la nobleza.

¿Recurrió Rasputín a la hipnosis para aliviar el mal del pequeño heredero? ¿Echó mano de algún remedio desconocido de la medicina popular, practicado en su aldea pero ignorado por los médicos que estudiaron en la universidad, para presentarse así como el único hombre capaz de devolver la salud al zarevich? De ser así, no es de extrañar que, habiendo tenido éxito en su tratamiento, el antiguo monje se convirtiese en el amo de Rusia, después de someter la débil voluntad de la pareja real.

Como era de esperar, sucedió lo mismo que en el caso de Monsieur Philippe, dice la historia. Rasputín se atrajo la animadversión de los personajes más influyentes de la corte, entre los que se contaba el mismo Stolypin que tanto se había sorprendido en 1903 al ser testigo

de la ceremonia de canonización del fraile Serafín y de la intervención de aquel joven. El primer ministro amenazó a Rasputín y murió inexplicablemente cuando se encontraba en el palco de un teatro. Poco antes, el monje tenebroso le había dirigido una terrible mirada desde el otro extremo del lugar, declararon quienes todo lo sabían.

Los poderes de Rasputín, falsos o verdaderos, se convirtieron en un auténtico peligro para los nobles y para los que se dedicaban al juego de la política. Muchos empezaron a pensar seriamente en la necesidad de eliminarlo para siempre porque interfería en sus planes. Pero nadie se atrevía a atentar contra su vida cara a cara, ni a mirarlo con malos ojos. Curiosamente, por aquellos días Rasputín debió intuir su próximo fin. En 1916 escribió una carta, auténtica prueba de clarividencia, en la que presagiaba lo que no tardaría en suceder en Rusia. Sabía que las cosas no iban bien en el país y que había ganado enemigos.

Declaraba que si era asesinado por los aristócratas y se derramaba sangre, esperaban a Rusia muy graves calamidades, la menor de las cuales sería la huida masiva de los nobles. Perderían sus tierras y sus pertenencias y los sobrevivientes que lograran llegar al extranjero verían terminar sus días en la más espantosa miseria, porque jamás habían sabido hacer nada que valiera la pena.

Asesinado en circunstancias insólitas

La noche del 30 de diciembre de 1916, Rasputín se presentó en el palacio del príncipe Yusupov, pariente muy cercano del zar, a donde había sido invitado a cenar. El príncipe se había puesto de acuerdo con algunos amigos para asesinar al monje. Ninguno de los confabulados podía ocultar su temor. Rasputín, consciente de que se había metido en la boca del lobo, se avino a probar los manjares y los vinos servidos en su honor. Y mientras tanto, escondidos en un salón contiguo, esperaban los asesinos el momento de intervenir por si fallaba la operación.

Se mostró el anfitrión sumamente cordial y logró que su invitado bebiera más vino del esperado y alguna que otra copa de vodka. Eran ambos licores excelentes y además estaban saturados de veneno. Suficiente estricnina para acabar con un regimiento. Sin embargo, el monje no se inmutó, dice la leyenda. Siguió hablando y comiendo, y también bebiendo como si nada. Y los conjurados, que esperaban impacientes, se atemorizaron. ¿Acaso era indestructible aquel hombre? ¿Tenía algún pacto con Satanás, de quien debía ser su embajador en la Tierra? Si el veneno parecía no hacer mella en su organismo, habría que recurrir a otros medios más seguros.

El propio Yusupov estaba aterrado al contemplar la fortaleza física y la resistencia del monje. Lo invitó a inclinarse ante un ícono, para rezar, y le disparó a bocajarro. Sus compañeros acudieron al escuchar el disparo. Pero, con las prisas, uno de ellos tropezó con un cable y se fue la luz. Quedó el salón a oscuras. Corrieron a la puerta, presa de terror, y abandonaron el palacio. Allá quedó Rasputín, tendido en el suelo, desangrándose por la herida. Parecía una película.

Tardaron los asesinos en regresar. Encontraron a su víctima aún con vida. Descargó Yusupov en el cuerpo caído el resto del cargador, pero Rasputín seguía respirando. Lo levantaron en vilo y lo condujeron hasta el río Neva, que por fortuna se encontraba al otro lado de la calle. Abrieron un boquete en el hielo y dejaron caer el cuerpo en el agua helada. La mano se aferró al borde del hielo. Finalmente, hizo la señal de la cruz —que en el rito ortodoxo se hace comenzando por la derecha— y se hundió. Era la madrugada del último día del año 1916.

El 30 de julio del año siguiente, la familia real era masacrada por los bolcheviques y, y algún tiempo más tarde, una joven que decía llamarse Anastasia declaraba que era la única hija del zar que logró sobrevivir a la matanza.

Fue enemigo declarado de la guerra

Hay razones para creer que no todo lo que dice la historia acerca del monje Rasputín responda a la estricta verdad. Se tiene la casi certeza de que quienes lo asesinaron se ocuparon de difundir los pormenores de la muerte, de manera exagerada, casi fantástica, porque deseaban ocultar la verdadera personalidad del singular individuo. No deseaban que naciera la leyenda del hombre que amaba a la patria y la paz.

Le sucedió, en realidad, algo muy semejante a lo que años atrás sufrió Jean Jaurès, el dirigente socialista francés que murió asesinado en los meses que precedieron a la Primera Guerra Mundial (antes de estallar la II, la I había sido conocida como la Gran Guerra). El asesino declaró que acabó con el político por su propia iniciativa y añadió que todo lo que había hecho Jaurès resultó nefasto para Francia.

Poseía el hombre que mató al dirigente socialista todas las características del asesino político: era un fanático exaltado que carecía de inteligencia suficiente para darse cuenta de sus actos, pero sí lo bastante consciente como para realizar el trabajo que le encomendaron sin hacer preguntas. Y no le importaba nada pagar con la vida por el crimen.

Jean Jaurès fue asesinado porque se había negado con todas sus energías a que su país declarase la guerra a sus vecinos los alemanes. Y poseía documentos de enorme importancia que, de haber sido publicados, hubieran impedido la entrada de Francia en el conflicto bélico. Tal cosa no convenía a ciertos intereses mezquinos, económicos y políticos. Ni a quienes fabricaban armamento y no deseaban perder la oportunidad de obtener en la guerra jugosos beneficios de los contendientes.

¿Sucedió algo por el estilo con Rasputín, el mal llamado monje tenebroso? ¿Fue este individuo algo más que un mistagogo y un curandero, que gracias a sus fabulosos poderes logró influir en las decisiones siempre absurdas del zar Nicolás II en materia de política? La historia oficial lo presenta como un ser carente de escrúpulos, que solamente buscaba aprovecharse de la debilidad de la pareja real. Pero la realidad pudo haber sido otra.

Rasputín había aconsejado al zar de todas las Rusias que permaneciera neutral en caso de estallar una guerra entre Alemania y los Aliados, porque ningún beneficio obtendría. El país no estaba en condiciones para lanzarse a una aventura tan arriesgada. No escuchar sus razones significaría un grave peligro para la seguridad de Rusia y de

Nicolás II tomaba decisiones absurdas y habitualmente Rasputín lo disuadía de llevarlas a la práctica. No obstante, encontrándose éste de viaje, el zar desoyó sus consejos de permanecer neutral en la contienda entre Alemania y los Aliados y así llegó el fin de la monarquía rusa que, según se aduce, el propio Rasputín había ya anunciado antes.

la familia real. Incluso se ha dicho que Rasputín escribió la famosa carta anunciando el dramático fin de la monarquía rusa movido por el deseo de disuadir a Nicolás II. Sabía perfectamente bien lo que el futuro depararía a su patria.

Los grupos partidarios de la guerra odiaban a Rasputín. Durante la corta ausencia de la corte que se vio obligado a realizar, obtuvieron sus enemigos del débil zar la firma de la orden de movilización. El monje se enteró y envió un telegrama a Nicolás. Insistía en que aún era tiempo de firmar una paz por separado con el Káiser. Y por esta razón, para que Nicolás II no fuera a dar marcha atrás, los grupos poderosos de Rusia y del extranjero hicieron planes para quitar de en medio a aquel estorbo barbudo conocido como Rasputín.

Fue entonces cuando el príncipe Yusupov asumió la tarea de acabar con el monje, con la ayuda de varios aristócratas rusos interesados en su desaparición. Y lo hicieron por su propia iniciativa, pero más seguro por encargo de alguien cuyo nombre permaneció en el anonimato. Se ignora si el monje ruso pereció, en realidad, como cualquier cristiano que recibiera una fuerte dosis de estrictina acompañada de un par de balas, o si se quiso representar aquella farsa, haciendo hincapié en el vigor casi mágico del hombre. Los rusos en general y el resto del mundo se olvidarían así de las verdaderas circunstancias que condujeron al crimen.

Y si había suerte, surgirían numerosas biografías y novelas, y acaso filmarían la vida del monje tenebroso, con todo y su dramático final, para deleite de los amantes de lo truculento, y se presentarían también estupendos programas de televisión.

Mata Hari con un traje de baile. Su condena por espionaje fue discutida ampliamente por toda la población.

MATA HARI, ¿ESPÍA O FARSANTE?

Antes de que transcurriese un año de la muerte casi misteriosa del monje tenebroso era fusilada en París una dama que iba a suscitar los más diversos comentarios. No fue dueña de una personalidad magnética como Rasputín, ni parece haberse distinguido por la calidad de sus neuronas. Todo en ella fue sexo y nada más que sexo. Se han escrito docenas de libros sobre la famosa espía Mata Hari y han aparecido cientos de reportajes sobre su discutida actuación.

A la genial Greta Garbo le fascinó el personaje y lo llevó a la pantalla, en una película donde la divina sueca mostraba sus encantos al interpretar una danza exótica que hoy nos haría sonreír burlonamente. Docenas de millones de aficionados al cine se enteraron entonces de que esta dama murió fusilada en el curso de la mal llamada Gran Guerra por espiar a favor de los alemanes.

Sabía contar historias fabulosas

Nació, a raíz de su lamentable fin, la leyenda de Mata Hari, a quien se ha venido considerando el prototipo de la espía perfecta. Y como sucede en todas las leyendas, ésta tuvo algo de verdad y algo de mentira. La mujer murió fusilada, en efecto, pero había dejado de ser una jovencita y, respecto a que fue una gran espía, hay muchas dudas.

Tuvo sus buenos momentos de danzarina oriental y a sus embelesados admiradores relataría más tarde los tiempos en que se contorsionaba casi desnuda, a orillas del río Ganges, ante el maharajá y sus maharaníes. En realidad, ellos jamás tuvieron ocasión de admirarla en la India, pero creían en lo que ella explicaba. Y, añadía la hermosa mujer que su nombre significaba quién sabe qué lindas cosas en Oriente. Era dueña de una fabulosa y envidiable imaginación.

En relidad, no fue Mata Hari su verdadero nombre, ni había nacido tampoco en la India misteriosa. Era holandesa. Había visto la primera luz el 7 de agosto de 1876 en el pueblecito de Leeuwarden. Y su nombre era Greta Gertrude Zelle.

Un astrólogo hubiera dicho de ella que, habiendo nacido bajo el signo de Leo, por fuerza debió poseer un espíritu dominante y una gran confianza en sí misma. Tenía que haber sido apasionada y dueña de una lúcida inteligencia. Amaría la autoridad y el prestigio, y de ella se desprendería una intensa atracción, que la haría ser amada y admirada por los hombres. A la futura Mata Hari le hubiera agradado saber que una mujer famosa, que se quitaría la vida en la segunda mitad del siguiente siglo, perteneció también al signo Leo. Nacería mucho tiempo después de morir de manera dramática Mata Hari y su nombre sería Marilyn Monroe.

El biógrafo que ponderó los quince bellísimos años de Mata Hari no mintió y acertaría también al añadir que creció en el seno de una familia estremecida por los problemas conyugales y económicos, por culpa de un padre que quiso ser comerciante sin ser ésta su vocación. El hombre murió poco después de irse a la quiebra y dejó desamparada a su familia. Pero, al parecer, a Greta no le disgustó demasiado la prematura desaparición de papá.

Al cumplir dieciocho años era una romántica incorregible que soñaba con ser raptada un día por un militar pro-

Uno de los muchos amantes de Mata Hari fue un oficial prusiano, que la reclutó para el servicio secreto poco antes de estallar la guerra.

visto de galones dorados y de un hermoso bigote sedoso. Buscó al oficial de sus sueños y fue a encontrarlo en la página de anuncios matrimoniales del periódico de Leeuwarden.

Escribió al hombre que andaba a la busca de una esposa. Era cierto capitán Rudolf McLeod, holandés a pesar del apellido escocés, que estaba destacado en Java y se encontraba en aquel momento en Amsterdam, disfrutando de una licencia. Por consejo de sus amigos, que lo veían aburrirse mortalmente en Java, se dedicó a buscar con quien casarse, a su llegada a Holanda, antes de volverse un cuarentón insufrible.

Un matrimonio que no podía resultar

El capitán concertó una cita con la joven y ésta se sintió tan satisfecha que no vaciló en vivir con el militar su primera aventura amorosa. Y como despertara un día asaltada por terribles náuseas y avisara de ello a Rudolf, no tuvo más remedio éste que dar a la joven engañada su apellido. Se casaron el 11 de julio de 1895. Seis meses más tarde nacía el primer hijo del matrimonio. El segundo vástago, que resultaría hembra, vería la luz unos años después, cuando los esposos vivían ya en Java, nombre que se daba entonces a lo que hoy día es Indonesia.

Pasado el primer momento de intensa pasión, cada uno comenzó a mostrarse como era en realidad: él, autoritario y brutal, y ella frívola y coqueta, deseosa de vivir tórridos romances a espaldas del capitán. El militar comenzó a abandonar su casa días enteros, para divertirse con las muchachas indígenas, que no estaban nada mal. Y al regresar al hogar se enfurecía si no hallaba a la querida mujer preparando la cena. Hallaba así motivos para golpearla a su regreso.

En sus memorias, la que un día se haría llamar Mata Hari diría que comenzó a prostituirse en Java, obligada por su querido esposo, que la amenazaba con matarla si se atrevía a desobedecerle. Las cosas iban de mal en peor. Finalmente, la pareja acordó separarse por la vía legal, el 30 de agosto de 1902, y esto sucedió en Holanda. Greta tenía veintiséis años y estaba más hermosa que nunca. Y, además, sabía danzar ya como los ángeles.

Durante su permanencia en Java había aprendido a mover el cuerpo maravillosamente, observando a las danzarinas en sus ceremonias sagradas. Y como Greta era dueña de una tez ligeramente oscura, de cabellos negros y ojos inmensos, decidió hacerse pasar por una de ellas, a su arribo a Europa. No habían transcurrido seis meses desde su divorcio cuando se presentaba ya en un salón de París para interpretar una danza ritual. Ahora se llamaba Mata Hari.

Al día siguiente todos hablaban en la capital francesa de la exótica joven y la lista de quienes deseaban gozar de sus favores, a muy alto precio, creció rápidamente. Valía la pena pagar lo que fuera por estar a solas con ella y también por verla danzar.

Enloqueció a los siempre galantes franceses

Salía a escena envuelta en unos velos de gasa y una diadema en su oscura y brillante cabellera. Los brazos surgían de repente de entre los velos y se contorsionaban, lentamente, como si rindiera la danzarina homenaje a un dios invisible. El cuerpo se retorcía como el de una serpiente, mientras los velos iban ca-

Una de las poses preferidas por la sueca Greta Garbo —o acaso por sus productores—, actriz genial a quien agradó interpretar papeles históricos, como María Cristina de Suecia o la propia Mata Hari. Se ha dicho que inventó en esta película el beso con los labios abiertos, visto con horror en su tiempo y que ahora es práctica común en el cine.

yendo uno tras otro, hasta quedar cas desnuda por completo.

Esta precursora del *strip-tease* viaj por toda Europa, ganando el dinero que le vino en gana. La vieron danzar los soberanos y los hombres más adinera dos y poderosos. Pero ella jamás tení bastante. Todo lo que obtenía de sus dos actividades más importantes se le iba en joyas y vestidos, como agua evaporándose en el desierto. Tenía que encontrar alguna fuente complementaria de ingresos para cubrir su fuerte déficit. La guerra, que estalló cuando acababa de cumplir treinta y ocho años y había alcanzado la plenitud de su belleza, fue la solución.

El mismo día en que comenzó el conflicto estaba en Berlín, actuando en un centro nocturno. La vieron acompañada por el jefe de policía. Poco más tarde se hallaba en la neutral Holanda y para enero de 1915 tomaba camino de

París. Había dejado amantes leales en todas partes, en especial alemanes pertenecientes al ejército o metidos en la política.

En la primavera del mismo año se encontraba en Madrid, hablando con militares ingleses y alemanes al mismo tiempo. ¿Renacía acaso su viejo amor por los uniformes, que la hacía caer en brazos de cualquier oficial, sin preguntar a qué nacionalidad pertenecía? O, por el contrario, ¿estaba viendo a unos y a otros en busca de secretos militares que le proporcionaran suficientes fondos para pagar a sus acreedores que la acuciaban?

¿Sería éste el enigma de Mata Hari?

Los franceses, que en aquellos días veían espías hasta en la sopa, centraron su atención en la hermosa danzarina y sus servicios de contraespionaje decidieron vigilarla a todas horas. ¿Se había convertido, por casualidad, en espía al servicio de los alemanes? Los servicios franceses de inteligencia se dirigieron entonces a la dama con una súplica: ¿por qué no se animaba madame a espiar también a favor de Francia, en perjuicio del enemigo?

Tal vez en algún momento confió el secreto doña Mata a un general alemán, entre risas. Cometió entonces el error que iba a costarle la vida. Los alemanes no deseaban que fueran a surgir dificultades por culpa de una mujer que no era ya tan linda como antes y que seguía teniendo un cerebro del tamaño de una nuez. Pensaron que debían hacer algo para acabar con ella, antes de que se dedicase a pasar todo género de información secreta militar al enemigo, en lugar de enamorar a los oficiales distinguidos.

Se enteraron los alemanes de que los franceses habían logrado descifrar uno de sus códigos secretos. Enviaron entonces diversos mensajes en clave en los que se hacía referencia al agente H.21, seguros de que la estación instalada en lo alto de la torre Eiffel no dejaría de interceptarlos y de traducirlos.

Decía el mensaje que H.21 llegaría el 29 de diciembre de 1916 a París, donde recibiría la suma de cinco mil francos por servicios prestados. La supuesta espía arribó a la capital francesa

Cuando era aún una niña, Greta Gertrude Zelle jamás hubiera imaginado que un día cambiaría su nombre por el de Mata Hari, que se convertiría en danzarina exótica, que volvería locos a los franceses y que éstos no vacilarían en fusilarla por cometer el grave error de espiar para quien no debía.

poco después de lo previsto, el 4 de enero. La estaban esperando ya, para vigilar sus pasos, elementos de los servicios de contraespionaje. Acudió la mujer al banco donde le esperaban los cinco mil francos remitidos desde Holanda por los alemanes. La mujer fue detenida en aquel mismo instante.

Ingenua como siempre, convencida de que se trataba de una broma, así se lo dio a entender a las autoridades francesas. No le molestaba que la acusasen de prostituta, veleidosa y derrochadora y muchas cosas más, pero eso de tomarla por espía, ¿acaso no era una afrenta que no podía aceptar?

Tal vez no era una afrenta, pero le costó la vida. Greta Gertrude Zelle dejó de existir en la madrugada del 15 de octubre de 1917. Entraron poco antes en su celda unas personas de oscura indumentaria, además de un sacerdo-

te. El abogado de Greta le aconsejó aducir un embarazo, a fin de salvar la vida. Ella se negó. Acompañó a aquellos individuos hasta un automóvil y fue conducida hasta el fuerte de Vincennes, al este de París.

Minutos más tarde era fusilada Mata Hari, porque pudo más su coquetería que el deseo de demostrar al mundo que aquello de espiar era una tontería.

DESAPARICIONES QUE JAMÁS SUCEDIERON

Cada año se producen en el mundo cientos de miles de desapariciones inexplicables. En ciertas ocasiones se trata de individuos que abandonaron su hogar hartos de pasar hambre o de sufrir infidelidades conyugales y corren en busca de un ambiente más acogedor al otro extremo del país. En otras, la huida se debe a la imposibili-

Cuando sucedió la aventura del soldado español llegado por los aires desde Manila no existía aún la catedral de México tal como se conoce en la actualidad, porque tardó bastantes años en ser terminada. Pero existía ya la plaza más importante de esta capital, conocida como el Zócalo, formada por un cuadrado de 250 metros de lado. Es sabido que la catedral fue construida sobre los templos aztecas destinados a celebrar sacrificios.

dad de pagar la última letra del automóvil o se teme por la propia vida. O pudo suceder, sencillamente, que esta persona murió en un lugar solitario, en un accidente o a manos de alguien y jamás se descubrieron sus restos. Pero, aunque se suprima de la lista a quienes pudieran ofrecer una explicación lógica de su desaparición, sigue habiendo miles de seres que se fueron de improviso a un lugar desconocido, o que cambiaron de domicilio en circunstancias misteriosas, jamás aclaradas.

Eso fue, por lo menos, lo que informaron los periódicos a sus lectores.

El soldado de Manila y otros casos sorprendentes

La mañana del 25 de octubre de 1593 apareció de improviso en la plaza principal de la ciudad de México, más conocida como el Zócalo, un soldado vistiendo el uniforme de un regimiento español acantonado en Manila, capital de las Filipinas. No supo decir cómo había llegado hasta allí. Sólo supo ex-

...licar que Su Excelencia don Gómez ...érez Lasmarinas, gobernador de las ...slas, acababa de ser asesinado.

Las autoridades de la Nueva España, intrigadas ante la insólita presencia del soldado y más aún por la noticia del crimen, lo arrestaron, acusado de ...arsante y desertor. Unos meses después llegó la noticia de que el gobernador había muerto, en efecto, y no de muerte natural, el mismo día de desaparecer el soldado de Manila y presentarse como por arte de magia en México. Como sospechase la Santa Inquisición que se encontraba ante un caso de brujería, intervino al instante y mandó al soldado de vuelta a su regimiento, para que en Manila fuera juzgado como Dios manda.

Este curioso episodio figura en las crónicas de la Orden de San Agustín y en la de Santo Domingo, y fue dado a conocer en el libro *Sucesos de las islas Filipinas*, original de Antonio de Morga, juez del Tribunal Criminal de la Real Audiencia de la Nueva España. Y de ahí lo tomaría el cronista Luis González Obregón para incluirlo en su libro *Las calles de México*.

Esto sucedió hace unos cuatro siglos. Pero en 1968 tuvo lugar algo muy semejante, que tuvo también su desenlace en la capital mexicana. Gerardo Vidal, abogado argentino, viajaba en el mes de mayo en su automóvil acompañado por su mujer, cuando al pasar por la población de Chascomús, en la provincia de Buenos Aires, fue envuelto por una espesa niebla. Los esposos perdieron el conocimiento. Cuando volvieron en sí, se encontraba a 6.000 kilómetros al norte, muy cerca de la ciudad de México. Se dieron entonces cuenta de que su automóvil tenía unas marcas muy extrañas en la carrocería, como si hubieran pasado por ella una antorcha. Cuando el autor del presente libro acudió a la embajada argentina en busca de información, lo miraron con extrañeza y después con sorna. Y nadie contestó a su pregunta.

En aquel año debió producirse una epidemia de desplazamientos inexplicables. Los esposos Azambuja viajaban en viaje de bodas, en su Volkswagen. Se encontraban cerca de Porto Alegre, en el estado de Río Grande do Sul, cuando penetraron en una nube blanca. Sintieron entonces un sueño invencible y al despertar se encontraron inesperada-

Hace ya mucho tiempo que se denuncian casos de vuelos extraordinarios, sin mencionar su condición de involuntarios, puesto que los viajeros son transportados con vehículo y todo a remotos lugares. Acaso estemos ante una moderna versión de Elías que, viviente aún, subió al cielo en un carro de fuego, aunque, por fortuna, quienes han tenido esta experiencia no hace mucho han regresado para contarla.

mente en México, como había sucedido con los argentinos.

Quién sabe qué poderosa atracción ejerce la ciudad de México sobre las personas que gustan de viajar por la ruta rápida y cómoda de la cuarta dimensión después de ser devorados por la neblina, con todo y su vehículo, porque el siguiente año sucedió algo similar. El 15 de enero de 1969, dos personas que corrían en ese día, que era miércoles, por la autopista Presidente Dutra, también en Brasil, se encontraron repentinamente, sin saber cómo, en una localidad del territorio mexicano, en las inmediaciones de la capital. Al ser consultados los empleados de la embajada brasileña reaccionaron de igual manera que los argentinos.

A cambio de estos sucesos que no pudieron ser aclarados —tal vez por-

que no sucedieron jamás, como el caso del inglés de Puebla—, se conocen otros que fueron aceptados en sus tiempos por quienes todo se lo creen y que, al pasar de los años, vino a aclararse qué ocurrió en realidad. Se comenzará con la historia del diplomático británico que protagonizó en 1893 una curiosa aventura que vino a resultar un completo fiasco.

Lo dio a conocer el astrónomo Flammarion

Al francés Camilo Flammarion, gran aficionado como Conan Doyle al espiritismo, se le deben algunas noticias en verdad sorprendentes, que todo el mundo creyó en su tiempo porque el hombre tenía fama de serio. De una de ellas se dirá algo de inmediato. Parece haber sucedido, al menos en su primera parte, en 1880.

Lord Dufferin pasaba unos días en la casa de campo que un amigo tenía en Irlanda. Una noche de luna llena despertó sobresaltado, como si presintiera una amenaza. Corrió a la ventana y miró para abajo. Vio un desconocido de facciones repulsivas, imposible de olvidar, que cargaba una caja alargada,

Los ocupantes de los automóviles que fueron misteriosamente transportados a miles de kilómetros de distancia se encontraron súbitamente rodeados de una neblina cuyo espesor era tan denso que los reflejos de los faros enceguecían la vista.

semejante a un ataúd. El diplomático bajó a toda prisa al jardín y lanzó un grito al intruso, para que se identificara. No recibió respuesta. Se aproximó al individuo y pasó a través de su cuerpo inmaterial, a la vez que se esfumaba con todo y la caja sin dejar huella.

De regreso a su habitación, lord Dufferin escribió una nota describiendo lo que acababa de presenciar. Era un hombre sumamente metódico. La mañana siguiente comentó con su amigo lo sucedido. Ninguno de los dos supo explicar aquel misterio. Hubo que esperar trece años, cuando lord Dufferin era embajador de Su Majestad en París, para que pudiera aclararse. Pero sólo en parte.

Había acudido a una recepción que se celebraba en el primer piso del Grand Hotel. Se detuvo sorprendido frente al ascensor, al reconocer al empleado a su cargo. Su rostro era idéntico al del sujeto que vio una noche en Irlanda, en 1880. Acudió a la administración del hotel, decidido a conocer el nombre del sujeto, pero lo detuvo un espantoso estrépito: el ascensor se había desplomado desde el último piso del edificio. Murieron sus ocupantes y el propio empleado. Nadie supo identificar a este último.

Esta historia singular ha aparecido publicada en varios idiomas y en infinidad de libros y revistas de lo insólito. Y en ningún caso se puso en tela de juicio lo que a todos pareció un caso claro de premonición. Fue investigado por el experto de metapsíquica —así llamaban hace un siglo a la parapsicología— francés R. de Maratray, quien en 1920 se lo dio a conocer a Flammarion. Este famoso astrónomo, sumamente aficionado a las ciencias ocultas, se apresuró a incluir el singular episodio en su libro *La muerte y sus misterios*. No tardaría esta obra en convertirse en un *bestseller* de la época, que sigue vendiéndose aún con éxito. Sin embargo, la historia contenía varios errores, posiblemente intencionales.

En primer lugar, lord Dufferin no se encontraba en 1893 en la capital francesa como embajador británico, sino que era gobernador general del Canadá. Por otra parte, ningún periódico francés mencionó un accidente ocurrido en aquel año en el Grand Hotel. No obstante hubo uno en 1878 y únicamente pereció una dama y no la multitud

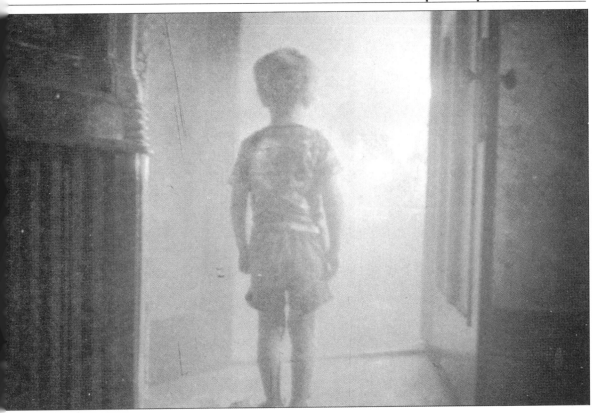

que más tarde declaró el hombre que inventó el accidente.

El niño que desapareció en el aire

Debió desconfiarse, desde el primer momento, de esta historia, porque hubo dos idénticas, con dos niños de igual nombre pero con diferente apellido, que vivieron en dos países distintos. En un caso se llamó Oliver Lerch y en el otro Oliver Thomas. Sucedió el primero en la Nochebuena de 1889 y el otro en la Nochebuena de 1905, en casa del señor Owen Thomas, que se encontraba en el poblado de Brecon, en el País de Gales, así como la familia Lerch vivía en South Bend, Indiana. En ambos casos sucedió exactamente lo mismo.

Quince personas, entre niños y adultos, se habían reunido la noche del 24 de diciembre de 1905 en casa del granjero Owen Thomas. Esperaban, sentados ya a la mesa, el regreso del niño de once años Oliver, a quien su mamá había mandado con un balde al cercano pozo, a traer agua. Pero el niño no pudo cumplir jamás con el encargo maternal ni pudo hacer honores a la suculenta cena preparada por el ama para agasajar a familiares y amigos.

De los casos de niños desaparecidos, dos ofrecen circunstancias similares: a ambos se les envió al pozo en busca de agua, mientras la familia se sentaba a la mesa para celebrar la cena de la Nochebuena; ninguno de los dos niños regresó jamás y tampoco se hallaron sus cuerpos. Esto nos hace pensar también en la gran obra llevada al cine, en la que un niño también era el protagonista, "Encuentros en la tercera fase", fotograma que muestra la ilustración.

Un grito aterrador llegó desde el campo cubierto de nieve. Creyendo que un lobo atacaba al pequeño, se apoderó Owen Thomas de una escopeta y corrió seguido por el resto de los hombres, hacia el pozo, siguiendo las huellas dejadas por su hijo en la nieve. Había recorrido una veintena de metros cuando, de improviso, dejó de distinguirlas. Solamente halló el balde; y no había huella alguna de lobos. Parecía como si al niño le hubieran salido unas alas que lo levantaron del suelo.

En este misterio pensaban los hombres que acompañaban al señor Thomas cuando llegó hasta ellos un nuevo grito, lanzado esta vez desde las alturas. No había duda de que nadie pudo atacar a Oliver encontrándose en el suelo y que tampoco cayó al pozo. Pero, ¿ por qué venían los gritos desde arriba y parecían alejarse, como si el niño se elevase más y más?

La mañana siguiente llegaron al lugar elementos de la policía local para investigar lo sucedido, pero nada lograron sacar en claro. Y como el niño no volvió a ser visto nunca más y no pudo darse una explicación razonable de lo sucedido, el caso fue archivado, lo que resultó más cómodo para las autoridades, y sólo de vez en cuando lo desenterraba un investigador de lo insólito si buscaba ejemplos de una desaparición misteriosa, jamás aclarada.

La historia de Oliver fue dada a conocer en 1956 por Frank Edwards —muerto algún tiempo después en circunstancias misteriosas, inventadas tal vez por él como muchos de los casos expuestos en su libro *Strangest of All*—, pero quienes investigarían después el caso declararon que Edwards alteró en gran parte la verdad, para que su obra se vendiera más.

En primer lugar, hubo un solo Oliver, el Lerch de South Bend, y no tenía once años, sino veinte, y su desaparición sucedió en 1890. Las huellas terminaban a setenta pasos del pozo. Entre los invitados a la cena navideña estaban el reverendo Samuel Mallelieu y otros personajes de cuya palabra era imposible dudar. Pero uno de los interesados en hallar la verdad de lo ocurrido fue más allá en la búsqueda de información digna de crédito.

Fue este hombre Loyal E. Fields, miembro de la Historical Society de Indiana, quien tras hurgar en la prensa publicada de 1889 a 1900 no halló ninguna referencia a la desaparición de Oliver, ni tampoco el nombre de Samuel Mallelieu, y no apareció por ningún lado el apellido Lerch. Averiguó además que en 1889 nevó en la región mucho después de la Navidad y no antes.

Diez años después de aparecer publicado el libro de Frank Edwards, otro escritor a quien agradaban también las historias extrañas, cuyo nombre era Brad Steiger, contaría en su libro *Strangers from the Sky* la historia de Oliver Thomas, que se le ocurrió ubicar en un lugar perdido del País de Gales, donde jamás supieron nada de la misteriosa desaparición. Poco después, Steiger confesaría que para escribir el relato se había inspirado en un cuento corto original de Ambrose Bierce que tenía por título *Ashmore's Trail* —o *La huella de Ashmore*—, escrito en 1893. La narración de Bierce —periodista autor de notables relatos de humor negro que en 1913 decidió viajar, a la edad de 73 años, al México revolucionario, para ver si alguien le pegaba un tiro, como así sucedió— inspiraría a su vez la extraña desaparición de David, quien se esfumó frente a su granja de

Gallatin, Tennessee, a la vista de su esposa e hijos y cuya voz llegaría más tarde de la nada. Es una historia que se ofrecerá al lector en unas cuantas páginas más.

Tal vez sea cierto esto del cuento de Bierce —cuyos relatos de humor negro recomendamos al lector—, porque la historia de Oliver parece ser muy anterior a la publicación de los libros de Edwards y Steiger. Harold T. Wilkins, explorador británico que declaró en cierta ocasión haber sostenido una conversación telepática con un amigo, encontrándose en los hielos árticos, se había referido ya, en 1932, a una nota publicada en el *South Bend Tribune*. Se describía el suceso, pero Wilkins no pudo localizar a los descendientes de la familia Lerch.

Otros casos aparentemente inexplicables

Un día del mes de junio de 1855, el *Iron Mountain*, vapor movido por una enorme paleta trasera, zarpó del muelle de Vicksburg, en el estado de Mississippi y en la margen izquierda del río más caudaloso de Norteamérica. Se dispuso a navegar corriente arriba, con 55 pasajeros a bordo.

Dio vuelta a un recodo del poderoso río y desapareció de repente, sin dejar rastro. Sólo quedó una barcaza que debió soltar las amarras al llegar la noche y fue recogida por el *Iroquois Chief*. Como no hubo testigos que pudieran informar sobre lo sucedido, la desaparición pasó a formar parte, de inmediato, del abultado acervo de he-

Barcos de paletas como éste siguen navegando todavía a lo largo del río Mississippi. Todos los días zarpa una de estas embarcaciones del puerto fluvial de Nueva Orleáns, pero viajan solamente en ellas turistas que nada han de temer. Se acabó eso de desaparecer barcos o de transportar únicamente mercancías. Ahora hay mayor seguridad.

chos insólitos. Hubo que esperar nada menos que hasta 1977 para aclarar el misterio.

Se vino entonces a averiguar que el vapor quedó atrapado al golpear contra una roca y que comenzó a hundirse. Sin embargo, hubo tiempo para salvar a todos los pasajeros y a la tripulación. En el curso de la siguiente noche se liberó la nave del obstáculo que la había mantenido presa y la corriente se la llevó río abajo. Fue a encallar en Omega Landing, en el estado de Luisiana, junto a un campo de algodón. Cuando se descubrió lo poco que quedaba del vapor de paletas, nadie se molestó en informar a la prensa. Y tampoco lo hicieron los sobrevivientes, que habían perdido por completo las ganas de hacer comentarios sobre el maldito barco.

Otra desaparición masiva que provocó grandes comentarios en su tiempo, pero que fue finalmente aclarada, sería la del 4º regimiento de Norfolk, perdido en Gallipoli, población que domina los Dardanelos turcos, el 21 de agosto de 1915. Autores especialistas del fenómeno OVNI, como Brad Steiger y John Keel, no vacilaron en afirmar, años más tarde, que los soldados fueron raptados por una nave extraterrestre y mucha gente lo creyó. No concidieron ambos autores en cuanto al número de soldados desaparecidos, pero dieron el mismo tamaño para la nube de forma extraña que los devoró: 240 metros de longitud y 60 de ancho, y era sumamente densa y oscura.

Se hizo enorme énfasis en lo anterior y en que el Gobierno británico reclamó enérgicamente al turco, al término de la guerra, sobre el paradero de los soldados. Hubo que esperar hasta 1965 para conocer la verdad. Se supo entonces, en primer lugar, que se trataba de un batallón y no de un regimiento. Por otra parte, los soldados neozelandeses que vieron esfumarse el batallón, apostados en una colina cercana, creyeron que había ocurrido algo fuera de lo normal.

Sucedió, en realidad, que numerosos soldados británicos murieron a manos de los turcos en una emboscada. Otros más fueron capturados por culpa de la espesa niebla que los desorientó y el resto siguió luchando hasta el final de la guerra. No era la primera vez, ni sería la última, que algo mal percibido era interpretado de manera defectuosa y llegaba a convertirse en leyenda, sin que nadie se ocupara de indagar y averiguar cuánto pudo haber de cierto en la noticia. Fue lo que sucedió también con la leyenda de un monte californiano.

Extraños seres vivían en el monte Shasta

También en torno al monte Shasta, alto de poco más de 4.000 metros que se yergue unos 200 kilómetros al norte de San Francisco, se han sucedido las interpretaciones que rayan en lo inverosímil. Se había dicho que los indios de la región habían situado en su cima, desde los tiempos más lejanos, un paraíso donde el legendario guerrero Coyote halló refugio en ocasión de producirse

Las montañas han tenido un papel preponderante en las leyendas de los pueblos, dado que frecuentemente se ha considerado que en ellas moraban dioses. Al monte Shasta, situado en el estado de California, se le atribuye el haber acogido primero a Coyote y luego a todo un pueblo, pero los intentos de encontrar vestigios de ambos han sido completamente infructuosos.

uno de los muchos diluvios pavorosos que azotaban antaño a la humanidad. En realidad, las montañas han inspirado un gran respeto a los humanos, seguros de que fueron la morada de los dioses. Así sucedió en el monte Olimpo heleno, el Ida cretense, el Himalaya techo del mundo, el Popocatépetl mexicano y tantos otros.

Circulan aún en el lugar leyendas sobre un pueblo misterioso que habita en las inmediaciones de la cima o en su interior, dado que se trata de un volcán apagado. Pero estos relatos parecen haber sido inventados por los autores ocultistas del siglo pasado y por la secta de los Rosacruces del actual que tienen su cuartel general en San José. Son ellos los que han lanzado la versión de que los seres que allí habitan tienen los cabellos muy largos, visten largos ropajes blancos que les caen hasta los pies y son dueños de la visión del tercer ojo. Descienden de los sobrevivientes de Mu, la Atlántida del Pacífico, y están protegidos de las asechanzas del mundo exterior por barreras invisibles.

La historia del monte Shasta adquirió gran resonancia a partir del año 1932, cuando el periodista Edgar L. Larkin, del *San Francisco Examiner* —algunos autores dicen que se llamaba Edward Lanser y que trabajaba para el *Los Angeles Times*—, se ocupó de poblar el monte de extraños personajes. Sin embargo, cuando algunos curiosos quisieron dar con ellos, perdieron el tiempo. Los Rosacruces de San José explicaron el misterio con pasmosa claridad: molestos ante la irrupción de tantos impertinentes, los seres de largos cabellos abandonaron el lugar para irse a otro sitio que nadie conoce. O que nadie inventa todavía.

Después de Larkin — o de Larsen, como se quiera—, otro periodista abordó este tema singular y se mostró aún más exagerado al sacar conclusiones. En 1939, un tal Guy Warren Ballard describió en su libro *Unveiled Mysteries* el encuentro que tuvo con los misteriosos santones del monte Shasta. Descubrió entre ellos nada menos que al conde de Saint-Germain, ocultista francés de fines del siglo XVIII desaparecido en circunstancias jamás aclaradas y que muchos han querido identificar con el Judío Errante.

El conde dio a beber a Ballard un elixir que le permitió realizar un viaje astral y conocer en detalle sus anteriores reencarnaciones.

De algo debieron servir los textos de Ballard y de Larkin-Lansen, porque en los últimos años las laderas del monte Shasta se han ido poblando de fraternidades y sociedades místicas de todos los colores, y en 1970 se construyó un monasterio budista Zen.

Sigue sin aclararse el enigma del poblado esquimal

En cambio, otra desaparición igualmente misteriosa iba a confirmarse más tarde y sigue constituyendo un enigma de características únicas. Sucedió en 1930, unos 600 kilómetros al noroeste de Churchill, en la provincia canadiense de Manitoba, donde se encuentra un lago que figura en unos mapas con el nombre de Antikuni y en otros como Angikimi.

En el otoño de aquel año, un comerciante de pieles francocanadiense llamado Joe Labelle, que había tenido tratos con los esquimales de un poblado situado a orillas del lago, a lo largo de cuarenta años, llegó al lugar y se extrañó al no encontrar a nadie. Reinaba el silencio más profundo. Examinó todas las tiendas de piel de caribú y descubrió unos recipientes con comida, puestos a calentar en fogatas que se habían consumido, además de pescado seco y huesos de reno. Halló también agujas de tejer clavadas en unas prendas de vestir, como si las mujeres hubiesen abandonado de improviso la labor.

Labelle supuso que el poblado entero había emigrado, dejando abandonado aquello que no interesaba llevar. Se dirigió a la orilla del lago y descubrió, sorprendido, los kayaks amarrados. Más se extrañó al comprobar que seguían allí los rifles, de los que jamás se separa un esquimal, y encontró una tumba abierta, como en espera de alguien. Se apoderó entonces del trampero un terrible pánico y abandonó el lugar a toda prisa. Tomó el camino de Churchill, donde se apresuró a informar de lo que había visto.

Días más tarde, acompañado por varios oficiales de la Policía Montada del Canadá, regresaba Labelle al poblado. Descubrieron sus compañeros siete perros atados a un árbol, muertos desde hacía algunas semanas. Presentaban curiosas heridas en el cuerpo, como

Los esquimales que desaparecieron misteriosamente de su poblado situado a orillas del lago Angikimi siguen siendo un enigma que jamás logró ser aclarado. Tal vez sucedió con ellos que, simplemente, se fueron a otro sitio donde la pesca era mejor. No hay que olvidar que eran un pueblo medio nómada que iba detrás de la presa.

si al ser presa del hambre se hubieran enzarzado en feroz lucha. Extrañó también sobremanera el hecho de que, habiendo muerto los perros y siguiendo las embarcaciones en la orilla, hubieran desaparecido sus dueños. ¿Cómo hicieron los esquimales para abandonar la aldea?

Visitaron los hombres de la Montada algunos poblados de las cercanías, pero nadie supo sacarlos de dudas. Se aceptó entonces lo ocurrido como uno más de los muchos enigmas que rodean al ser humano. La historia fue publicada el 29 de noviembre del mismo 1930 por el *Halifax Herald* y se convirtió en un clásico de las desapariciones inexplicables. Este periódico envió al lugar un reportero y un fotógrafo, pensando que ellos podrían aclarar el misterio. Nada encontraron, aparte de lo que ya conocían.

Treinta años más tarde, un capitán retirado de la Montada explicaba a unos amigos que el asunto del lago no fue un rumor sin fundamento, sino que sucedió realmente y que él tuvo oportunidad de visitar el lugar. Nada de cuanto se había dicho en el periódico

era falso. Añadió que estuvo investigando en un radio de varios cientos de kilómetros y que nadie pudo sacarlo de dudas.

Lo único que logró averiguar en varios poblados esquimales, que saliera de lo normal, fue que corrían leyendas en la región sobre extraños objetos surcando el firmamento y que incluso se habían visto algunos en aquellos días, a corta distancia del lago. Sin embargo, el hecho de que Frank Edwards hubiera dado a conocer el hecho en su *Strangest of All* obliga a dudar de que todo fuera verdad.

Sí se produjo un fraude, en cambio, en la desaparición de un granjero, sucedida al parecer en 1880.

El hombre que voló a otra dimensión

La tarde del 23 de septiembre de 1880, David Lang se dirigía al corral donde guardaba los caballos, en su granja cercana a Gallatin, Tennessee, mientras su esposa y sus dos hijos, así como su amigo el juez Augustus Peck, veían cómo se alejaba con lentitud. Y de

pronto desapareció misteriosamente, ante sus ojos sin dejar ni rastro.

Acudieron los testigos en su busca y no lograron hallarlo. Sólo encontraron un círculo de césped amarillento, días más tarde, en el lugar exacto donde lo vieron por última vez. Se dijo también que la familia oyó la voz de Lang venida de ninguna parte. A partir de entonces, todos los especialistas de lo insólito reproducirían este caso inexplicable en sus libros, tomándolo por genuino pero sin dejar de aportar elementos de su propia cosecha, para hacerlo más interesante.

Ninguno de los autores que reprodujo el caso pudo decir jamás si consultó algún documento digno de crédito o en un libro que no fuera el *Stranger than Science* de Frank Edwards o el *Strange Mysteries of Time and Space* de Harold T. Wilkins. Y ambos expertos no indicaron donde se inspiraron para narrar la extraña desaparición.

¿Cayó el granjero a un pozo que había permanecido disimulado entre el cesped y su desaparición podría ser considerada como perfectamente natural? Se tiene noticias de que a fines de la

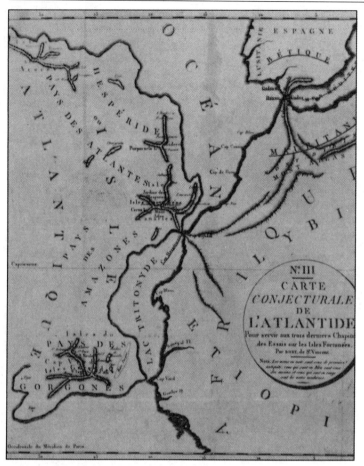

década de los 40, el reverendo Alfred Byles descubrió un orificio que acababa de abrirse en el jardín de su iglesia de Yealmpton, en el Devon inglés. El agujero fue visible algún tiempo y, de repente, desapareció por completo. Lo mismo sucedió, por aquellos días, en las afueras de Thomasville, Tennessee: se abrió un pozo de manera misteriosa, que creció hasta adquirir un diámetro de diez metros, para cerrarse de manera igualmente incomprensible, días más tarde.

En el verano de 1976, dos investigadores británicos, Robert Forrest y Robert Pickard, se dedicaron a verificar la historia de David Lang. Se dirigieron por carta a la biblioteca pública de Nashville, capital del estado de Tennessee, que dista tan sólo 45 kilómetros de Gallatin. Les respondió por carta el bibliotecario Hershel G. Payne. Les dijo que la historia había sido inventada, en una taberna, por un vendedor ambulante llamado Joe Mulhatten, la tarde que se reunió con unos amigos a tomar unos tragos y contar historias.

El pasado siglo, cuando hubo una oleada de viajes por el océano Atlántico y se creía que la Atlántida no tardaría en ser encontrada, muchos fueron los barcos destrozados por los icebergs, mientras otros eran abandonados por la tripulación o ésta perecía en circunstancias casi fantásticas. Bory de Saint-Vicent quiso ilustrar con este mapa que Atlántida había estado al oeste de África y que sus restos eran las islas Canarias, Madeira y Azores.

Joe ganó con la suya sobre la desaparición de David Lang y recibió por ello el título de «el embustero más grande de Tennessee». Añadió el bibliotecario que no logró hallar pruebas de que la familia de Lang y el juez Peck hubiesen vivido alguna vez en Gallatin, o que hubiesen siquiera existido: tres meses antes de producirse la supuesta desaparición, se había realizado un censo y no figuraba en él ninguno de los dos hombres. Y al revisar los archivos del estado, tampoco encontró nada digno de mención.

Ignoraban todavía los dos ingleses que el investigador psíquico Nandor Fodor había investigado el caso en 1953. Declaró que había entrevistado veintidós años antes a Sarah Emma Lang, hija del desaparecido. Le dijo esta mujer que varios vecinos acudieron al lugar al ocurrir aquello y que hurgaron por todas partes, sin éxito. Algunos pensaron que podía haber caído a un pozo profundo. Un periódico local, siguió la buena señora, sugirió que Lang había abandonado a su familia, porque tenía amores con una joven de otra población. Pero no supo explicar cómo pudo desvanecerse el papá a la vista de todos.

Añadió Sarah Emma que su madre desmejoró notablemente a partir de lo sucedido. Salía a veces al jardín y llamaba a gritos a su querido esposo. En aquellos días, Sarah tenía once años y su hermano ocho. A ambos se les prohibió aproximarse al punto donde se vió al padre por última vez; se había formado un círculo amarillento al que se negaban a acercarse los caballos. Dijo también que, en varias ocasiones, la familia escuchó la voz apagada del jefe de la familia.

Sarah Lang estaba segura de que su padre no había muerto, sino que fue raptado por un poder misterioso. Y al llegar a la edad adulta consultó con varios médiums, sin resultado. Recurrió a continuación a la tabla ouija y a la escritura automática. Recibió algunos mensajes del más allá, pero ninguno de su padre. ¿Acaso no significaba esto que seguía con vida? Pero un día le llegó un mensaje escrito cuyo texto era «Ahora y siempre, que Dios te bendiga», con una caligrafía que la mujer afirmó que pertenecía a su padre.

Los dos ingleses se decidieron, finalmente, a viajar a Tennessee y sometieron la frase escrita, en opinión de Sarah Emma Lang, por el espíritu de David Lang, a Ann B. Hooten, experta calígrafa de Minneapolis. Declaró que había sido redactada por la mano de alguien de este mundo que había intentado deformar su letra.

Resultó a la postre que la historia narrada por la supuesta hija del supuesto granjero — coincidían ambos apellidos, pero nada habían tenido en común las dos personas— fue una pura ficción, ideada por cierto Stuart Palmer, especialista en OVNI. Había conocido la historia de David Lang en un cuento de Ambrose Bierce y quiso escribir algo al respecto. Como puede verse, basta a veces que un individuo invente un suceso inverosímil y que otro se fije en él para que nazca al instante una historia verdadera, perfectamente bien estructurada a pesar de carecer de pruebas. Después, al paso de los años, resulta sumamente difícil descubrir el fraude.

No podía terminar este capítulo dedicado a las desapariciones misteriosas que no lo fueron tanto por el caso del *Mary Celeste*, convertido también en otro más de los muchos aparentemente inexplicables sucedidos en alta mar en el que desaparecieron tripulación y pasajeros de un navío.

Un hallazgo hecho cerca de las Azores

El bergantín *Mary Celeste*, de 280 toneladas, al mando del capitán Benjamín Briggs, zarpó del puerto de Nueva York el 7 de noviembre de 1872, dispuesto a atravesar el océano Atlántico hasta llegar a Europa. Ocho días más tarde hizo lo mismo la goleta *Dei Gratias*, cuyo intrépido capitán David Moorhouse —algunos autores lo llaman Morehouse, que se pronuncia casi igual— era amigo de Briggs. El bergantín llevaba a bordo ocho marineros, además del capitán y de pasajeros insospechados: su propia esposa y la pequeña hija de ambos.

Siendo las tres de la tarde del 5 de diciembre y habiendo navegado ya 2.185 millas, los dos navíos se encontraron casualmente unas 500 millas al este de las islas Azores. Los del *Dei Gratias* dieron un grito a los del bergantín cuando estuvieron a corta distancia. Nadie les contestó. Moorhouse envió un

El capitán Benjamín Spooner Briggs estaba al mando del bergantín *Mary Celeste* en el malhadado viaje en el que desaparecieron también su mujer y su hija de corta edad que lo acompañaban. Originario de Nueva Inglaterra, Briggs era un hombre puritano y abstemio y, debido a su supuesto fanatismo religioso, se le culpó del desastre que, por hipotético motín o acceso de locura, había causado su tripulación.

bote a investigar, con varios hombres al mando de su primer oficial Deveau. No hallaron a nadie sobre cubierta, ni en la bodega ni en ningún sitio. El timón giraba en desorden. La brújula estaba quebrada. Hallaron la pipa del capitán Briggs, las alhajas de su esposa y una tetera con agua todavía caliente, además de diversas prendas de vestir húmedas, colgando de una cuerda. La cama del capitán conservaba la huella de haber dormido alguien en ella, recientemente. No se apreciaron daños en el barco. Tal como se encontraba, podía haber dado la vuelta al mundo sin necesidad de hacer escala en ningún puerto.

Deveau y sus marineros, gente supersticiosa, sintieron temor y corrieron a informar a su capitán, quien ordenó conducir el *Mary Celeste* hasta Gibraltar. Se ocupó de realizar esta maniobra Deveau, con la ayuda de varios marineros. Llegados a puerto, se inició una investigación. El fiscal del Almirantazgo, Solly Flood, sospechó algo extraño: pensó que la tripulación se había amotinado bajo los efectos del alcohol y que mató al capitán, a su familia y al primer oficial. Pero Flood no supo explicar cómo huyeron los amotinados.

El Almirantazgo concedió entonces a quienes rescataron el bergantín la séptima parte de su valor. Estaba seguro de que había sido una maniobra urdida por los dos capitanes para cobrar el seguro. Sabía ya que se habían reunido en Nueva York poco antes de emprender la travesía.

Con tanto darle vueltas a lo que parecía una simple tragedia en el mar, se convirtió ésta, sin mucho tardar, en oscuro misterio y más aún al no volver a tenerse noticias de la tripulación del bergantín, a pesar de haber sido buscados los marineros y el capitán en todos los puntos del mundo. La historia estaba destinada a hundirse finalmente en el olvido, al cabo de cierto tiempo, pero un hombre llegó entonces a resucitarla. Era un médico inglés aficionado a la literatura fantástica y al espiritismo, que tenía su consultorio en Portsmouth y al cual ya se ha hecho referencia en páginas anteriores. Su nombre era Arthur Conan Doyle.

Escribió Conan Doyle un relato inspirado en el misterio del *Mary Celeste* y se lo envió al *Cornhill Magazine*. Recibió por ello la suma de treinta libras, enorme para la época, y el relato fue publicado en enero de 1884. Se narraba en él la historia de cierto J. Habacuc Jephson, personaje inexistente que habría sido el único sobreviviente del percance sufrido por el navío. Conan Doyle anotaba además el nombre del periódico *Gibraltar Gazette*, que jamás existió, y decía que no faltaba ningún bote de salvamento en el barco abandonado.

Algunas explicaciones inverosímiles

Llegó mucho más tarde el escritor Clark Russell a decir, en su libro *Mystery of the Ocean Star*, que cuando Deveau y sus marineros abordaron el navío abandonado hallaron sopa todavía caliente y que el capitán Briggs había muerto de fiebre en su cama, además del primer oficial, y que un marinero cayó por la borda. La asustada tripulación, creyendo que el barco estaba embrujado, lo abandonó apresuradamente en un bote y se perdió en la espesa niebla. Dijo también

Dado que no cabía explicación lógica alguna a la desaparición de la tripulación del *Mary Celeste*, hubo disparatadas conjeturas para todos los gustos, desde la de que el barco había sido abandonado por encontrarse ante un iceberg, aunque la zona era muy cálida, hasta la de que la nave había sido atacada por un pulpo gigantesco para placer de los fantasiosos más extremados.

que todo esto sucedió poco antes de llegar el *Dei Gratias*.

Se dieron a partir de entonces numerosas explicaciones, algunas de las cuales rayaban en lo fantástico. Decía una que el abandono del barco se debió a la proximidad de un iceberg —a pesar de que la zona es sumamente cálida— o que la tripulación fue barrida por las fuertes olas y cayó al agua. Pero, de ser así, el bergantín habría sufrido grandes daños. Se pensó también en corsarios que se apoderaron de la tripulación, o que una epidemia acabó con una parte de la tripulación y que los demás se lanzaron por la borda, enloquecidos. Otra más, que el cocinero se volvió loco y echó veneno en la comida.

Se mencionó también a un pulpo gigante que atacó a la nave. Por su parte, Fanny Richardson, esposa — o viuda— de un marinero perdido, declaró en 1902 al periódico *Brooklyn Daily Eagle* que el capitán Briggs, su esposa y su hijita fueron asesinados por la tripulación, formada por tipos con pésimos antecedentes. Añadió que la víspera de zarpar el *Mary Celeste* se vio a los dos capitanes tomando cerveza en una taberna del puerto. Con esto volvió a cobrar fuerza la teoría de que ambos estuvieron de acuerdo para realizar una operación comercial fraudulenta.

Según se dijo, Briggs habría querido encallar su bergantín frente a los escollos de las Azores. Pero quienes esto afirmaban no cayeron en la cuenta de que el capitán no hubiera puesto en peligro la vida de sus familiares. El siguiente año, alguien que firmó con las iniciales J. C. C. envió una nota al *Nautical Magazine* explicando el misterio. En opinión suya, un barco alemán recogió a la tripulación del barco. La revista invitó entonces a varios escritores a lanzar una teoría que pudiera aclarar el misterio.

Uno de ellos declaró que murieron todos asfixiados por las emanaciones de alcohol —el bergantín llevaba, en efecto, un cargamento de licor— o que enloquecieron. Dijo otro que el primer oficial se enamoró de la esposa del capitán, que era de verdad linda, y otro más

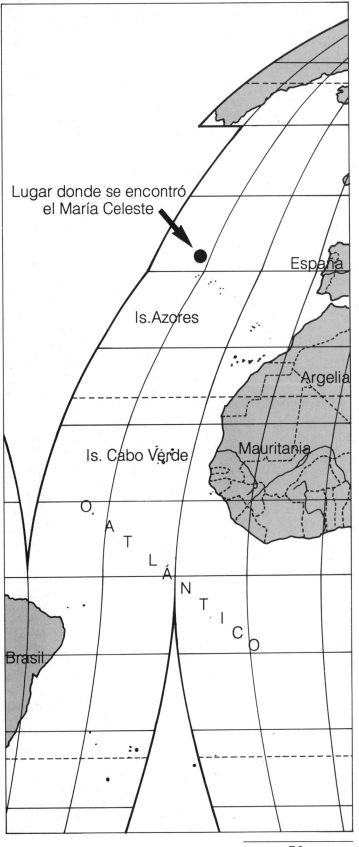

que fueron raptados por un barco que jamás fue identificado. Surgió a continuación la historia contada por Abe Fonsdyk, quien se identificó como sobreviviente del drama.

Declaró que, en cierta ocasión, el capitán y su primer oficial se lanzaron al mar para nadar un rato, aprovechando un momento de calma, mientras la señora, la niña y el resto de la tripulación los contemplaban desde arriba. El barandal se rompió y cayeron todos al mar y fueron devorados, junto con los nadadores, por los tiburones que aparecieron de repente. Y en 1924, el *Daily Express* londinense publicó el relato hecho por cierto Triggs. Declaró que el navío en que viajaba halló en el camino al *Mary Celeste* abandonado. En la cabina del capitán había una caja que contenía 3.500 libras esterlinas. Se repartieron el botín y quisieron hundir el bergantín solitario y hundir los botes, pero la inesperada llegada del *De Gratias* lo impidió. Atracaron finalmente en un pueblo de España, donde permanecieron varios años, una vez que juraron guardar silencio.

Este relato fue severamente atacado por Oliver W. Cobb, primo del capitán Briggs, quien lo consideró siempre un hombre respetable y digno, incapaz de participar en un acto de bandidaje.

No termina aún la lista de explicaciones

El que fue cocinero del *Mary Celeste*, John Pemberton, apareció sorpresivamente en 1929, cuando tenía 92 años de edad y no le importaba lo que pudiera hacer con él la justicia. Declaró al *London Evening Standard* que Briggs emborrachó a varios marineros, en el puerto de Nueva York, para llevarlos a bordo como tripulantes. Dirigidos por Matt Bullock, un marinero que andaba medio enamorado de la señora Briggs, se mostraron dispuestos a cobrar venganza del capitán, a los pocos días de iniciar el bergantín la travesía.

En el curso de una fuerte tormenta, se movió violentamente el piano que la dama había insistido en llevar consigo en el viaje y la aplastó. El capitán enloqueció de dolor, porque parece ser que amaba a su mujer más que a su vida, y se encerró en su camarote con el cadáver desnudo de la señora. La tripulación quiso tirar al mar el cuerpo, porque creía que podría traerle mala suerte. En consecuencia, desaparecieron la mujer, sin molestarse nadie en cubrirla con alguna ropa, el capitán y la niña. La tripulación, al verse libre, bebió hasta la última gota del licor que cargaba el barco en la bodega. Temiendo entonces ser castigados por insubordinación, fueron a desembarcar en un punto solitario de las Azores y abandonaron el bergantín, que se fue a la deriva.

Poco después de aparecer la supuesta confesión del marinero Pemberton, el *British Journal of Astrology* informaba a sus lectores que el *Mary Celeste* se había desmaterializado en pleno océano para hundirse en el lugar ocupado antaño por la Atlántida. Esta fascinante explicación sería retomada en 1955, cuando se dijo que la tripulación del bergantín fue raptada por un OVNI. Y finalmente, alguien con sentido común emprendió algo que debió haberse hecho desde el principio.

En 1964, el periodista británico Rupert Furneaux llegó a Gibraltar y pidió al Tribunal Superior una copia de la investigación realizada en 1872 en torno al bergantín. Aunque parezca difícil de creer, era, en 90 años, la primera vez que alguien emprendía una acción tan razonable. Antes, todos los que se refirieron al caso lo hicieron sin bases concretas o copiando lo que otros habían hecho.

El documento reveló a Furneaux que Deveau y su segundo oficial Wright no encontraron desayunos a medio terminar, ni tazas con té aún caliente, pero sí que faltaba un bote. Al parecer, toda la historia era falsa. Lo único cierto era que el barco fue abandonado antes de las 8 de la mañana del 25 de noviembre por una tripulación aparentemente presa de terror.

El bergantín había sido contruido en Nueva Escocia en 1861 y Briggs se convirtió en su capitán en 1872, a la edad de 37 años, siendo dueño de una gran experiencia. Acababa de casarse con Sarah Cobb, su gran amor de la infancia, y en el viaje los acompañó su hija Sophie, de dos años. Fue la mujer del capitán Briggs quien insistió, en efecto, en llevar a bordo el piano y una máquina de coser. El otro hijo, Arthur, de seis años, se quedó en casa. El primer oficial del *Mary Celeste* se llamaba

Unas millas al norte de las islas Azores fue donde el *Dei Gratias* encontró al *Mary Celeste* flotando a la deriva. El misterio que rodea al bergantín ha querido ser aclarado un poco a la fuerza: las explicaciones han sido muchas y ninguna ha sido rica en sensatez.

Richardson, el segundo oficial era danés y el cocinero un norteamericano blanco. Cuatro miembros de la tripulación eran alemanes y excelentes personas, en opinión de la señora Briggs. En cuanto al capitán del *Dei Gratias*, no se llamaba Moorehouse, sino David Reed. La última anotación hecha en la bitácora por Briggs tenía fecha 24 de noviembre, hallándose la nave a cien millas de la isla de San Miguel, en las Azores.

Cargaban en la bodega 1.700 galones de alcohol. La explicación sugerida por el periodista Rupert Furneaux, en vista de que todos en el bergantín eran excelentes personas, fue la siguiente: se inflaron los vapores de alcohol, lo cual no era nada improbable, y temiendo morir envenenados por las emanaciones tóxicas, abandonaron el barco el capitán, su familia y la tripulación entera en un bote. Este se hundió poco después, muriendo todos ahogados.

Poco después de Furneaux llegó Harold T. Wilkins a decir que también él había investigado aquel misterio, pero en el Tribunal del Vicealmirantazgo. Podía jurar, sin temor a equivocarse, que el periodista se había equivocado por completo. En realidad, sucedieron en el *Mary Celeste* verdaderos actos de salvajismo, de los que fueron víctimas el pobre capitán Briggs, su mujer y su hija de dos años.

Aquello parecía el cuento de nunca acabar.

EL ENIGMA DE LA PAPISA JUANA

Detalle de un vitral en el que se ve el rostro de la papisa Juana.

Conozcamos a continuación un personaje del que muy escasas noticias se tiene y que, por esto, penetró de lleno en los terrenos de la leyenda. Se trata de la muy discutida papisa Juana.

A veces, en el seno de la Iglesia Católica ocurren pequeños escándalos que pudieran parecer, a simple vista, irreverentes y que ni por asomo es dado observar entre quienes pertenecen a una de las muchas sectas protestantes conocidas, ni entre musulmanes o budistas. Acaso deba echarse la culpa al temperamento extrovertido y poco respetuoso de los latinos, que jamás han dejado, por muy religiosos que puedan ser, de emitir los comentarios más pintorescos acerca de los cardenales, los obispos y del mismo Papa de Roma, sin que nadie lo tome a mal.

Así, se divirtieron los romanos del Renacimiento haciendo escarnio de los Borgia y de los prelados en general, y antes que ellos los relatos de Boccaccio y de Eustaquio de Amiéns se burlaron abiertamente del clero, desde el primero de sus jerarcas hasta el más humilde de sus frailes.

Pero, en ningún momento de la historia, provocaron los sumos pontífices tantas chanzas y comentarios como a la hora de aludir los cronistas a los que tuvieron por nombre Juan.

Fue un nombre que provocó discusiones

Se salvaría de las críticas el muy amado Roncalli, elegido Papa en 1958, quien adoptó el nombre de Juan XXIII en memoria de otro Juan que vivió cuatro siglos y medio antes. Había tomado asiento este último en el trono papal en 1410, con el nombre de Juan XXIII, pero fue considerada ilegal su elección

y lo destituyeron antes de que transcurrieran seis años.

Pero el más pintoresco de los Juanes fue aquél que vivió poco más de un siglo antes de llegar a su fin el primer milenio de la era cristiana. Su supuesta existencia y su discutido sexo iban a provocar, en los años que siguieron a su muerte, encendidas discusiones en el mundo católico. Y no terminan aún de apagarse. Se trata de Juan VIII, quien debió suceder a León IV a la muerte de este Papa, acaecida el 17 de julio del año del Señor 855. Y de ese Juan VIII se ha afirmado que no pertenecía al sexo masculino.

¿Quién fue este personaje de sexo dudoso que se convirtió, de acuerdo con oscuras leyendas, en el papa Juan VIII y de quien tan escasa información se posee? Más de un centenar de cronistas religiosos que vivieron entre los siglos XIII al XVII escribieron sobre este papa controvertido. Decían que debió nacer hacia el año 818 en la Bretaña —se supone que la inglesa— y que al alcanzar la edad de razón viajó a la ciudad alemana de Colonia, con intenciones de estudiar en su universidad.

Existen razones para pensar que se enamoró en esta ciudad, situada a orillas del Rin, de un fraile benedictino llamado Felda y que mantuvieron largo tiempo una censurable relación marital, hasta el día que el fraile tuvo que viajar a la ciudad de Atenas. Y como la joven deseara acompañar a su amante, debió adoptar una decisión.

Vistió ropas frailunas y, convertida así en respetable monje benedictino, le resultó sencillo unirse a Felda en la larga peregrinación. Los dos enamorados vivieron felices algunos años más, sin abandonar Juana su ropa talar, hasta el día que unas malvadas fiebres condujeron al fraile a la tumba.

Algunos autores, como Anastasio, bibliotecario de San Juan de Letrán de Roma en el siglo IX, diría algo muy diferente en su *Liber pontificalis*, acerca de los orígenes de la joven. Juana debió nacer en la antigua ciudad imperial alemana de Ingelheim, pero fue hija de un monje venido de Inglaterra. El fraile de quien se enamoró no se llamaba Fulda, sino que pertenecía a la abadía de Fulda.

En lo que sí estuvieron de acuerdo los estudiosos fue en que la joven se encontró ante un serio dilema, al quedarse sola, que solucionó no abandonando el hábito, tanto por amor al querido difunto como por el hecho de que se sentía más a gusto dentro de aquella ropa. Además, el sacerdocio se había convertido para ella en una auténtica vocación y el único oficio posible para subsistir.

Se distinguió por su inteligencia y sus virtudes

Tomó el camino de Roma, capital del cristianismo, donde su erudición y su enorme saber le abrieron las puertas de la universidad. Ocupó una cátedra durante algún tiempo, de donde pasó a desempeñar el cargo honrosísimo de notario de la curia romana, en el Vaticano. Su prestigio se acrecentó en el seno de la jerarquía eclesiástica. El brillante notario era consultado a cada instante, porque sabía brindar consejos tan sensatos como prudentes.

Y las virtudes morales del notario iban a la par con su talento. Era generoso aquel joven padre Juan de Bretaña, que repartía cuanto dinero tenía entre los menesterosos, y puro de alma, porque no disponía de un serrallo de lindas concubinas —algunos iban a acusarlo de invertido, porque rechazaba a las damas que acudían a insinuarse—, como era norma aceptada por la gran parte de los obispos y cardenales de Roma. Con justa razón iban a fijarse en este personaje el día que León IV cerró los ojos por última vez y hubo que elegir un sucesor digno.

Después de una breve consulta, el nombre del padre Juan de Bretaña fue mencionado en el cónclave por los cardenales. Poco después tomaba asiento en el trono papal el virtuoso fraile. Adoptó el nombre de Juan VIII.

Durante el primer año, el nuevo Papa se distinguió por sus admirables iniciativas: escribió cinco libros censurando duramente a los herejes iconoclastas, agregó un nuevo artículo al credo, consagró al rey Luis II de Francia y ordenó a catorce nuevos obispos. Tuvo tiempo, además, para construir cinco iglesias en la capital de la cristiandad, repartir limosnas y dádivas entre los mendigos, como había hecho en sus tiempos de notario, y seguir tan virtuoso como antes.

Pero, en el curso del siguiente año, según explican los antiguos cronistas,

La orden de los frailes benedictinos, fundada en el año 529 por san Benito de Nursia, sería escogida tres siglos y medio más tarde por una joven que al paso del tiempo, y de acuerdo con ciertas oscuras leyendas, se convertiría en la papisa Juana, cuyo fin no pudo ser más dramático.

el papa Juan VIII cometió un error. Tan terrible que le costó la vida.

Sintió un día el aguijón de la carne

Era el papa —es decir, la papisa— un ser humano, después de todo, una mujer necesitada de afectos. Sintió un día el aguijón de la carne y fue a enamorarse de un lindo paje llamado Florio, que convirtió en su amante sin hacerse éste mucho de rogar. Afirman ciertos cronistas que fue, en realidad, Lamberto de Saxo, embajador en Roma, el causante de su desgracia. Meses más tarde del primer contacto amoroso, Juana, consternada, tuvo que confesar a su amante algo de verdad espantoso: estaba encinta.

La primera intención de Juana fue abandonar por algún tiempo la ciudad de Roma y retirarse al campo para librarse, en el momento oportuno, de la molesta carga. Conocía sabios remedios para lograr sus propósitos. Pero las muchas obligaciones le impidieron salir del Vaticano. Y tuvo que seguir adelante, confiada en que se presentaría la ocasión, en cualquier momento, de poner solución al acuciante problema que la aquejaba.

Por fortuna para ella, las ropas holgadas que vestía impedían a los eclesiásticos que la rodeaban conocer la gravedad de su estado. Si veían a veces algo pálido al Papa debía ser a causa de los calores romanos y del mucho trabajo que cargaba sobre los hombros Su Santidad, pensaban. Y un día sucedió la tragedia.

Grabado original del siglo XIX que muestra el momento preciso en que la papisa Juana da a luz al hijo del que nadie, en Roma, tenía la menor noticia. Como sucede en tales casos, el grabado no concuerda con la leyenda: no aparece el caballo de donde cayó la dama y, en lugar de mostrar asombro los testigos, sólo está algo impresionado el hombre que sostiene en brazos al hijo del pecado.

Cabalgaba el papa Juan VIII al frente de una procesión que había partido de la basílica de San Pedro y se dirigía a la iglesia de San Juan de Letrán, cuando se sintió indispuesto y cayó de la montura, pesadamente. Los testigos se asustaron y acudieron presurosos a ayudar a Su Santidad. Pero el susto se convirtió en indignación al contemplar un espectáculo increíble.

Por entre los pliegues de la ropa papal surgió algo fantástico, casi milagroso, enviado sin duda por Dios para recompensar a quien tanto había hecho por los buenos cristianos, pensaron algunos más ingenuos al principio, al ver asomar un bebé de tez sonrosada debajo de la ropa, que comenzó a lanzar fuertes berridos. Bien se veía que estaba hambriento.

Pero nada tardó la multitud en comprender que aquello nada tenía de milagroso y que el papa no era tal papa, sino papisa. Se enfurecieron los espectadores del parto en la calle, con justa razón, al comprender que habían sido largo tiempo engañados por una mujer. Nada hay que moleste más al sexo masculino que ser engañado de manera tan vil. La ataron a la cola de su propio caballo y la arrastraron por las calles de Roma, que no estaban pavimentadas. Y cuando el noble bruto regresó al punto de partida, los romanos que se habían quedado esperando disponían ya de un estupendo surtido de pedruscos para lapidar brutalmente a la joven pecadora hasta matarla.

En cuanto a la inocente criatura, que ninguna culpa tenía, se dice que un alma compasiva la recogió y la educó para convertirla más tarde en un fraile de verdad que pudiera rezar por la salvación de su madre, la malvada papisa.

¿Existió en realidad aquella papisa Juana o la inventaron los enemigos de la Iglesia? Nadie puede afirmar lo primero o negar lo segundo, porque ningún estudioso del tema ha podido hacer acopio de suficientes elementos dignos de crédito para emitir un juicio claro y definitivo. Y, por lo general, los autores protestantes han rehusado tratar el tema, para evitar que los acusen de chismosos.

Y mucho menos ha logrado penetrar algún investigador en los archivos del Vaticano, que podrían sacarlos de numerosas dudas.

Además de esto, el *Liber pontificalis* del siglo XIV citaba también a un Papa que debió vivir cinco siglos antes. Añádase la circunstancia de que en el siglo XII vivió un Papa que debió llamarse Juan XX, según la cronología oficial, pero que se hizo llamar Juan XXI porque quiso aceptar la existencia de la papisa negada y hacer retroactiva la numeración.

En la actualidad nadie puede afirmar si la leyenda de la papisa Juana sea una realidad o si se trata de un infundio malintencionado. No existen pruebas irrefutables de su existencia ni del año en que, supuestamente, rigió los destinos de la cristiandad, puesto que en la cronología de los papas se dice, muy claramente, que a León IV, muerto en 855, le sucedió en aquel mismo año Benedicto III.

¿Alguien falseó esta cronología, como tantas veces ha sucedido en la historia en provecho de ocultos intereses? ¿Existe algo de verdad en la costumbre establecida de comprobar los cardenales el sexo de cada nuevo papa, para que no vuelva a introducirse una mujer en el Vaticano? ¿Es por culpa de la papisa Juana que se prohíbe la entrada a las damas en ciertas salas de la morada del papa?

LOS ZOMBIS NO SON LO QUE SE CREÍA

¿Son dignas de fe las referencias conocidas?

Sin embargo, resulta curioso observar que hayan sido precisamente los cronistas católicos del pasado los que defendieron con mayor empeño la tesis de la papisa Juana. El fraile dominico Martín de Polonia y otros más mencionarían, en el siglo XIII, a cierta papisa Juana, después de que el Vaticano prohibió terminantemente aludir a tan nefasto personaje.

Descubrieron un catálogo del siglo anterior, en el que se mencionaba a una *Papissa Johanna non numeratur*. Es decir, que en el catálogo se reconocía la existencia de la papisa, pero se le negaba el orden que debió corresponderle dentro de la relación de papas reconocidos por la Iglesia.

La verificación del sexo de quien ha sido designado Papa de la cristiandad es una ceremonia que nadie se molesta en comentar en nuestros días, por considerarla absurda, pero debió ser creída con los ojos cerrados en otros tiempos, como parece demostrar este grabado del siglo XVII. Todo transcurre en él dentro de la más perfecta naturalidad y decencia.

Cuando se habla del vudú, se piensa al instante en Haití y en tres aspectos muy peculiares de este culto. Uno consiste en las ceremonias que celebran sus adeptos, inspiradas en las que trajeron los esclavos africanos llegados desde Dahomey a partir del siglo XVI. Son ricas en sensualidad y crueldad y es normal que, llegados al paroxismo más agudo los danzantes que en ellas intervienen, deriven hacia lo que algunos llaman simples orgías, que son el resultado natural de la exacerbación de los sentidos.

Otro aspecto del vudú es esa magia negra que, según dicen los escépticos, tiene mucho de farsa y ha sido parte muy importante en películas y novelas de terror. ¿Quién no conoce la historia del brujo vudú que, habiendo moldeado

Sacerdote chango Yoruba de Nigeria (hungan en la religión vudú de Haití). El culto chango y la religión de los orishas Yorubas junto con el vudú de los Fon del reino de Abomey (Benin) y de los Ewé de Togo y Benin, sincretizado con elementos cristianos posteriores, dio lugar al culto vudú haitiano actual, herencia de la ideología de emancipación de los esclavos negros transportados a América, víctimas del infamante comercio triangular de los siglos XVII y XVIII, hasta la revolución de 1793.

con cera o barro un muñeco a semejanza de un enemigo, introduce en él un cabello o un fragmento de uña de la víctima? Clava a continuación en el muñeco un alfiler y logra así eliminar al ser odiado, presa de atroces dolores.

Pero existe en el vudú un tercer aspecto que ha sido motivo de grandes polémicas y que parece pertenecer al terreno de la superstición. Se trata del que se refiere a los *zombis*, o seres que caminan como si fueran muñecos. El término zombi se aplica, por esta razón, a todo aquel ser humano que actúa como si viviese en otro mundo.

Quienes jamás tuvieron la ocasión de contemplar a un auténtico zombi — como no fuera en las pantallas de cine—, podrán creer que se trata de habladurías y que su existencia pertenece al mundo de las leyendas. Pero a comienzos de la década de los 80 se descubrió, casi casualmente, la realidad de los muertos vivientes. Y también se lanzó una explicación científica para su curioso estado.

El difunto que regresó a su casa

En la primavera de 1980, un individuo de extraño aspecto y mirada perdida se acercó a Angelina Narcisse, en la plaza mayor de L'Estère, y se presentó ante ella como su hermano Clairvius, que había muerto y sido enterrado dieciocho años antes.

En 1962, Clairvius Narcisse, de cuarenta años de edad, había sido internado en el hospital Albert Schweitzer de la capital haitiana, Puerto Príncipe. Le diagnosticaron fiebre muy alta, malestar general y dolores en todo el cuerpo, la presión muy baja y las pupilas sumamente dilatadas, además de respirar con dificultad y escupir sangre. No tardó en detenerse el corazón. Los dos médicos que lo atendieron, no hallando en el paciente signos vitales de ninguna clase, lo declararon oficialmente muerto.

El siguiente día, es decir el 3 de marzo, el difunto fue enterrado en el cementerio de su pueblo natal. Dieciocho años más tarde, un hombre se acercó a Angelina, convertido en zombi, y le hizo la más extraordinaria de las confesiones. Como quiera que la mujer lo rechazó, horrorizada, el hombre que se hacía llamar Clairvius recurrió a las autoridades. Fue de nuevo hospitalizado. Y explicó entonces todo lo que le había sucedido.

Declaró que, años atrás, había tenido diversos altercados con sus hermanos por culpa de unas tierras. Los hermanos, personas con influencia, recurrieron a un *bokor*, o brujo vudú local, para quitarlo de en medio. Narcisse dijo que recordaba solamente el ruido de la tierra cayendo sobre su ataúd. Añadió que le resultaba imposible moverse, pero no sentía temor: era como si flotara en el aire. Y en ningún momento perdió la conciencia.

No pudo abandonar la tumba por sí solo —tal cosa le hubiera sido imposible, con tanta tierra encima—, sino que alguien lo sacó. A continuación lo golpeó y se lo llevó a trabajar como esclavo en una plantación de caña de azúcar del norte de la isla, donde había más individuos como él, convertidos en zombis. Estalló un día una revuelta y habiendo muerto en ella el patrón, los esclavos recobraron la libertad. Se dispersaron por la jungla y Narcisse erró por la isla hasta que un día oyó por radio la noticia de que su poderoso hermano, el que lo traicionó, acababa de morir. Regresó entonces a su casa.

Su caso fue estudiado, en primer lugar, por el Dr. Lamarque Douyon, director del centro psiquiátrico de Puerto Príncipe, quien venía investigando el enigma de los zombis desde hacía 25 años. Declaró que todos los casos por él estudiados tuvo que diagnosticarlos como de retraso mental, epilepsia, locura o alcoholismo agudo, pero el de Narcisse era de auténtico zombi. Añadió que el certificado de defunción de aquel hombre había sido firmado un poco a la ligera, por la simple auscultación. Los médicos no se molestaron en tomarle un electrocardiograma o un electroencefalograma; hubieran demostrado que no estaba muerto.

El misterio parece aclararse

Declaró el Dr. Douyon que, en este caso por lo menos, Narcisse fue inducido a convertirse en zombi por medio de dos clases de drogas: una droga era para darle apariencia perfecta de muerto y otra para tenerlo controlado, una vez recuperado de la supuesta defunción. Obtuvo el psiquiatra una muestra de la droga, llamada *bokor* — como el brujo que la elaboraba—, que se obtenía a partir de un sapo dueño de un veneno mil veces más poderoso que la cocaína.

Después de realizar el médico haitiano este descubrimiento, llegaron diversos científicos norteamericanos a Haití a estudiar estos casos y corroborar todo cuanto había declarado el Dr. Douyon. Uno de ellos fue el etnobotánico Wade Davis, quien estableció en el laboratorio las características y las propiedades de ciertas plantas, así como sus moléculas activas, para determinar si alguna de ellas conducía al estado de zombi. Siguiendo un estudio similar, Russell Marker había elaborado, en 1941, la primera píldora anticonceptiva partiendo de la raíz del barbasco, una planta mexicana de la familia de las escrofulariáceas que las mujeres de este país utilizaban, desde mucho antes de llegar Hernán Cortés, para limitar así el crecimiento de la población.

Antes de producirse la «resurrección» de Narcisse, Wade Davis había visitado Haití y conocido a Francine

Muchas de las sustancias medicinales que contiene la farmacopea moderna tienen su origen en plantas que se utilizaban en tiempos remotos. Ilustra el caso la contracepción que practicaban las mujeres en México para detener el aumento demográfico, mucho antes de la conquista española, con un extracto de la raíz del barbasco, que sirvió de base para elaborar los anticonceptivos actuales.

Illeus, muerta el 22 de febrero de 1976 y convertida en zombi. Corrían numerosas leyendas en torno a los muertos vivientes y se dudaba de su existencia cuando sucedió el caso de esta mujer. Había sufrido transtornos digestivos poco antes de fallecer y sería vista y reconocida por su madre tres años más tarde. Acudieron sus familiares al cementerio y abrieron la tumba. El ataúd sólo contenía piedras.

¿Por qué sucedían aquellas muertes que sólo lo eran en apariencia? ¿Y cómo podía sobrevivir el difunto sin aire durante el tiempo que permanecía encerrado, mientras llegaba alguien a sacarlo del ataúd? Supuso Davis que un veneno actuaba sobre el organismo reduciendo su metabolismo, para que el futuro zombi sobreviviera con un mínimo de oxígeno. Por desgracia, al reducirse el flujo de oxígeno al cerebro, la víctima se «zombificaba». Supuso el etnobotánico que el veneno era extraí-

do de una planta de la familia de las solanáceas, que comprende a las patatas, tomates, pimientos y estramonio, las cuales contienen sustancias alucinógenas, a veces mortales. Se cuenta también entre las solanáceas el beleño y la belladona, de la que se extrae la atropina.

Las propiedades de la belladona y del beleño fueron conocidas en la Edad Media por las brujas. Fabricaban un ungüento —seguramente perteneciente a la medicina popular heredada de los antiguos— que aplicaban en el cuerpo y poco después, en cuanto la droga pasaba al torrente sanguíneo, absorbida por los poros, creían las mujeres estar volando en su escoba. Y si a los jueces que las juzgaban se les ocurría acusarlas de haber cohabitado con Satanás, a ellas no les costaba ningún esfuerzo aceptar que así sucedió.

Sin embargo —y con ello daba la razón al Dr. Douyon—, al analizar Davis una muestra del polvo de zombi vio que carecía de atropina y sí tenía en cambio tetrodotoxina. Se trata de una toxina sumamente activa, que no se encuentra en el mundo vegetal, sino en el animal: en el hígado y en los ovarios del tetrodón, pez sumamente apreciado por los japoneses por su carne deliciosa, al que ellos llaman *fugu*. Cada año muere en Japón no menos de un centenar de personas que cometieron el error de no extraer con cuidado estas vísceras. Los síntomas mostrados por

A la izquierda, momento en que Abraham Lincoln recibió un tiro en la nuca, de acuerdo con un dibujante que no estuvo en el palco del teatro Ford. Acompañaban al presidente su esposa y un oficial de apellido Rathbone, que no se enteró de nada. El asesino saltó desde el palco y emprendió rápida huida a pesar de haberse quebrado una pierna al caer al escenario.

quien fue envenenado por el *fugu* se asemeja al de los zombis víctimas de esta toxina.

En Haití no existe este pez, pero sí un tipo de sapo que el brujo deja encerrado en un recipiente en compañía de una serpiente. Nada ha de temer el sapo, porque la serpiente no será tan tonta como para morderlo, pero se irritará pese a ello, de tal manera que se irritará su piel y producirá unas pústulas ricas en tetrodotoxina líquida.

¿También para los famosos muñecos en los que se clava una aguja se obtendrá algún día una explicación que no caiga en el terreno de la superstición?

¿QUIÉN FUE EL VERDADERO ASESINO DE LINCOLN?

Dos presidentes norteamericanos han pasado a la historia por haber tenido, entre otras cosas, curiosos rasgos en común que obligan a reflexionar sobre ambos destinos paralelos. Fueron ellos Abraham Lincoln y John F. Kennedy, asesinados con un siglo de diferencia cuando el primero acababa de reelegirse y el segundo se disponía a hacerlo. Se ha especulado muy especialmente sobre la circunstancia de que, a partir de 1840 en que fue elegido William Henry Harrison —quien murió al mes de llegar a la Casa Blanca—, la tradición había demostrado que el presidente elegido en años múltiples de veinte no vería terminar con vida su mandato. Moriría de muerte natural o, más seguramente, asesinado (tradición que vino a romperse en la persona del actor Ronald Reagan).

Pero hay algo más acerca del asesinato de Lincoln y Kennedy. En ambas muertes se suscitaron grandes discusiones en torno a la identidad del asesino y todavía en nuestros días se duda mucho de que los sospechosos señalados por quienes se ocupan de administrar la justicia en Estados Unidos hubieran sido los verdaderos culpables de ambos asesinatos.

Desde un principio se insistió en que Lee Harvey Oswald fue quien mató a Kennedy, a pesar de que nadie lo vio abandonar el almacén desde donde se dice que dispararon al presidente y de que tenía una puntería peor que regular según había podido demostrarse. Además, está el elemento tan desconcertante de la muerte del propio Oswald, a la vista de todos, a manos de cierto Jack Ruby que pudo prestarse a la farsa porque tenía los días contados por culpa del cáncer y que cualquier día aparece por ahí como si nada. ¿No es curioso que el pobre Oswald fuera sujetado por dos policías altos como torres, que no le permitieron moverse para que no fuera a fallar el que iba a matarlo?

Pero también en el crimen de Lincoln se produjeron contradicciones y hubo puntos oscuros que obligan a hacerse esta pregunta: ¿fue el actor John Wilkes Booth el verdadero asesino o hubo interés en culparlo del crimen mientras se dejaba en libertad, con toda intención, al culpable?

Explican los libros de historia que Abraham Lincoln recibió un solo tiro la noche del 14 de abril de 1865, apenas iniciado su segundo periodo presidencial, teniendo a un costado a su esposa y atrás al mayor Henry R. Rathbone. No pudo terminar de ver la obra que presentaban en el teatro Ford, titulada *Our American Cousin*, ni tampoco ninguno de los espectadores. Sufrió una prolongada agonía y fue a morir a las 7.07 de la mañana siguiente, que era sábado.

Nadie vio al asesino en el momento de disparar el arma sobre el presidente; se dijo que Rathbone intentó apresar al asesino y que éste lo amenazó con una navaja —¿no es curioso que Lincoln muriera de un tiro y no de una puñalada, arma esgrimida por el supuesto asesino, más silenciosa?— y que saltó desde el palco hasta el escenario, tres metros más abajo, con tan poco tino que se quebró la tibia. Alguien del público gritó que aquel hombre era el actor John Wilkes Booth. Debía ser un hombre muy perspicaz, porque los demás espectadores permanecieron desconcertados.

Entonces, como si fuera un Superman cualquiera, el hombre que se había roto la pierna salió corriendo y huyó montado en un caballo. Y fue a detenerse en otro estado, el de Maryland, en casa del Dr. Samuel A. Mudd para que le entablillase la pierna. No hay duda de que los hombres de antes aguantaban mucho más que los

Una actitud muy característica de Abraham Lincoln cuando era ya adulto. Sus numerosos enemigos, partidarios en su mayor parte del Sur, lo acusaron de haber apoyado el estallido de la guerra civil para lograr su reelección en la Casa Blanca. Pero, pese a ello, tuvieron que reconocer que fue un buen presidente.

de hoy. Cuando se supo que el médico había cumplido con el juramento hipocrático, las autoridades lo metieron en la cárcel y le fue bastante mal.

Antes de que esto sucediera, se le había unido al prófugo cierto David E. Herold, viejo amigo sureño como él que tampoco quería nada bien al señor presidente. En realidad, en 1865 mucha gente en Estados Unidos sentía muy escaso aprecio por Abraham Lincoln, a quien acusaban de haber propiciado el estallido de la guerra civil entre el Norte y el Sur para ganar su reelección. Los dos hombres, una vez parchada la pierna del actor, corrieron a refugiarse en un almacén de hojas de tabaco cercano a Port Royal, Virginia. Quién sabe de qué medios se valieron unos soldados para averiguar que los dos hombres se ocultaban en el almacén. Llegaron al lugar y amenazaron a gritos a los de

Laura Keene, la mujer que presentó la obra teatral en el Ford la noche que Lincoln fue asesinado.

Errores y contradicciones en las pesquisas

Nadie tuvo, en realidad, ocasión de ver qué sucedió en el palco, porque los espectadores estaban pendientes de la obra, que debía ser muy divertida. Cuando sonó el disparo, desvió la mirada el público entero —y lo mismo hicieron los actores— hacia el palco y pudieron ver a un individuo que saltaba torpemente al escenario, como si huyera aterrado de algo o de alguien. En lugar de lanzar un gemido de dolor al caer, se dice que el sujeto miró al respetable público y pronunció tres palabras en latín, tal vez para lucirse: *Sic semper tyrannus*. Después abandonó el lugar

dentro con prenderle fuego si no salían en seguida. Y, sin mucho esperar, aplicaron un fósforo a las tablas resecas.

El tabaco debía ser de muy alta calidad, porque Herold salió corriendo y se rindió. Creía que así le iría mejor. Se equivocó, porque le juzgaron de inmediato y fueron a colgarlo el 7 de julio. Tal vez deseaba el alto mando que no fuera a decir algo inconveniente. En el almacén se había quedado el actor. Sonó el tiro. Se ignoraba si el presunto asesino de Lincoln se quitó la vida o si lo mató cierto sargento Boston Corbett, equivalente del moderno Jack Ruby, deseoso de hacer méritos ante sus jefes. Pero se ignora cómo logró introducirse en el almacén y por qué tenía tanto interés en acabar con el que estaba dentro.

No se permitió a nadie que no fuera autoridad competente ver el cadáver del actor, pero corrieron rumores después del entierro de que el cuerpo no era el suyo. Y algunas personas llegaron a afirmar que se había matado a un pobre diablo, a un chivo expiatorio, y que John Wilkes Booth jamás estuvo escondido en el almacén de tabaco o que logró sobrevivir y fue a retirarse a Enid, un pueblo del estado de Oklahoma.

Resulta sumamente extraño que a este lugar llegasen también, años más tarde, el sargento Boston Corbett, quien había identificado el cuerpo del hombre a pesar de encontrarse irreconocible por las quemaduras, así como

Ulises Grant fue ante todo un leal amigo de Abraham Lincoln. El hecho de que, con toda intención, lo hubieran alejado del que sería el escenario del crimen, obliga a pensar que en el asesinato del presidente convergieron intereses muy poderosos por parte de algunos miembros del Gobierno, poco deseosos de ver convertirse en personas libres a los esclavos negros.

renqueando, sin quejarse. ¿No era como si el sujeto sintiera deseos de ser reconocido por los espectadores?

¿Se dio prisa en abandonar el teatro porque acababa de matar al presidente o porque nada malo había hecho y se daba vuelo para no ser atrapado y acusado por el crimen que acababa de presenciar y al cual era ajeno? ¿Y por qué tuvo que huir de manera tan teatral, en lugar de hacerlo por la misma puerta que le permitió entrar en el palco, puesto que la vigilancia era prácticamente nula aquella noche?

Bastó que alguien pronunciara el nombre del actor —poco conocido, porque era francamente pésimo — para que los demás espectadores lo dieran por bueno. Y sólo los más cultos supieron comprender las tres palabras en latín, que conservarían cuidadosamente en la memoria para enriquecer más

La Cámara de Representantes celebra la aprobación de la enmienda que abolía la esclavitud, en la ilustración superior Ulysses S. Grant, aquí general y luego "presidente fallido".

tarde los diccionarios de frases célebres. Pero todos cayeron en la cuenta, al instante, de que aquel sujeto tenía un cuchillo en la mano, no una pistola. ¿No era extraño que, después de disparar el arma, no se hubiera servido de ella para herir a Rathbone y abandonar con toda facilidad el palco y el teatro? Se hubiera evitado la molestia de quebrarse la pierna —si acaso sucedió tal cosa— y de ser reconocido. ¿Y no es extraño que el teatro no estuviese vigilado, como sucede cada vez que llega un presidente a un lugar público?

Días antes, un empleado de la Secretaría de la Guerra, de nombre Louis Weichman, había declarado ante sus compañeros de la oficina lo que sigue: había llegado a sus oídos cierta noticia confusa sobre el inminente asesinato de Lincoln. La noticia llegó a oídos del Secretario Edwin M. Stanton, quien no se molestó en iniciar una investigación para saber cuánto podía haber de cierto en el rumor. Y la noche del 14 de abril, tuvo el mayor interés en mantener alejado del teatro al general Ulysses S. Grant (quien no tardaría en convertirse en presidente, de 1868 a 1876). Y cuando Lincoln le pidió una escolta, la respuesta de Stanton fue tajante: el teatro estaba muy cerca de la Casa Blanca; el señor podía ir caminando, si tanto interés tenía en ver la función. Así que el presidente acudió a su cita con la muerte completamente desprotegido.

Stanton se presentó en el teatro Ford tan sólo unos minutos después de perpetrarse el crimen, como si supiera de antemano lo que iba a suceder. El presidente seguía con vida, pero inconsciente. Nadie había hecho aún nada por él. El teatro había sido cerrado y no se permitía a nadie abandonarlo. Sólo entonces dio órdenes el señor Secretario de la Guerra para que el herido fuese conducido al hospital y se iniciasen los interrogatorios. Una hora después daba comienzo la persecución del sospechoso. Y se hizo rumbo al sur, como si Stanton conociera el camino que tomaría el actor.

John Wilkes Booth había atravesado el río Potomac, vigilado las veinticuatro horas, a las diez y media de la noche del viernes, a pesar de cerrarse el puente todos los días a las 22 horas. Ignoraba tal vez que en aquel preciso instante atentaban contra la vida de

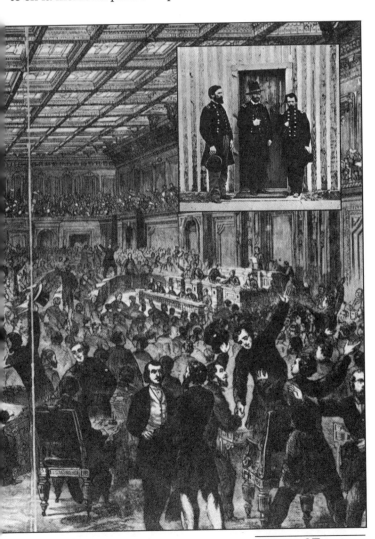

ALGUNOS BIÓGRAFOS HAN DICHO DE LINCOLN QUE GUSTABA DE INVENTAR HISTORIAS —MENOS LA ÚLTIMA— PARA DIVERTIRSE ANTE EL GESTO DE SORPRESA DE LOS OYENTES; AFIRMAN OTROS QUE LOS SUEÑOS QUE SOLÍA DESCRIBIR ERAN REALES. UNO DE ELLOS CONVERTIDO EN CLÁSICO SE REFERÍA A LA NOCHE QUE CAMINÓ HASTA UNA SALA DE LA CASA BLANCA DONDE LA GENTE SOLLOZABA ANTE UN CATAFALCO CUBIERTO CON UNA BANDERA.

Willian Henry Seward, Secretario de Estado, sin consecuencias fatales. Acababa de caerse de su carruaje, dijeron, rompiéndose un brazo y la quijada, y cuando se encontraba en el hospital llegó un desconocido y le asestó varias puñaladas que no tuvieron consecuencias. Salvó la vida de milagro, lo que no agradó a sus enemigos del Sur.

Lincoln murió sin haber recobrado el conocimiento. No pudo explicar nada, lógicamente, acerca de lo sucedido ni se logró identificar a su agresor. Mucho tiempo después, el Secretario de la Guerra mencionaría finalmente el nombre de John Wilkes Booth y lo acusaría de ser el asesino del presidente. Y se organizó también una partida de soldados de caballería que, como sucede en los buenos *westerns*, galoparon en pos de los malvados.

En el almacén de hojas de tabaco llegó a su fin la historia, oficialmente. Se echó tierra, de inmediato, a ciertos aspectos del crimen. El militar que acompañaba a Lincoln en el palco del teatro fue enviado a otro lugar distante y le ordenaron no decir nada de lo que había presenciado. En especial a la prensa.

Pero, pese a la cortina de silencio que se dejó caer sobre el asesinato del presidente Lincoln — como no fuera hacer de él un mártir de la democracia y de la lucha contra la esclavitud—, han persistido las dudas en cuanto a las circunstancias del crimen y a la identidad de su asesino, así como a las razones que condujeron a su muerte. Igual que sucedería casi un siglo más tarde con el presidente John F. Kennedy.

¿QUIÉN MATO A LOS DINOSAURIOS?

En estos últimos años ha venido preocupando grandemente a los paleontólogos y científicos en general dos o tres cosas acerca de los dinosaurios, una vez llegados a la certeza de que comenzaron a desaparecer de la faz de la Tierra en el curso del periodo Cretáceo, hace unos 65 millones de años, millón más, millón menos: ¿qué fueron en realidad aquellos seres gigantescos? y ¿por qué se extinguieron de manera tan sorprendente como repentina?

Se intentará, en las siguientes páginas, dar una respuesta a la primera pregunta, y se dirá en pocas palabras cómo se realizaron los primeros hallazgos y de qué manera quisieron clasificarlos los sabios del siglo pasado.

Han aparecido sus restos en todo el planeta

Los primeros huesos de dinosaurio fueron descubiertos por Gideon Mantell en 1822, a corta distancia de Londres. Los sabios que se aproximaron a verlos manifestaron, en tono despectivo, que se trataba de piedras de forma caprichosa y no faltaron los que pensaron en los gigantes citados en la Biblia. Declararon que se trataba de hallazgos que carecían de valor.

Pero en los siguientes años aparecieron más restos, en otros puntos de Inglaterra, de Europa y del resto del mundo. Los sabios quedaron entonces convencidos de que pertenecían a unos seres de tamaño descomunal. William Buckland —quien había intentado conciliar el Génesis bíblico con los hallaz-

Únicamente en los museos pueden verse ejemplares de las especies que, ya extinguidas, poblaron la Tierra hace millones de años. En los hielos de Siberia se han encontrado restos perfectamente conservados de mamuts gigantescos, como los que componen este esqueleto entero.

gos científicos, para que nadie fuera a molestarle— hizo la primera descripción de lo que dio en llamar *Megalosaurus*, o saurio gigante, y en 1841 dio el nombre génerico de *Dinosaurios* al conjunto de lo que consideraba reptiles de enorme tamaño. A continuación, los geólogos determinaron su antigüedad: debieron vivir durante el Cretáceo, porque los huesos fueron hallados en capas de terreno ese periodo, el tercero y último de la Era Secundaria.

Quedó, pues, aceptado que los dinosaurios fueron todos reptiles de sangre fría, de grandes dimensiones y sumamente voraces; se alimentaban unos de plantas acuáticas y los demás eran carnívoros y se desplazaban sobre enormes patas traseras, mientras las delanteras terminaban en algo que pudiera ser considerado como garras, capaces de realizar ciertos movimientos a la hora de atrapar la presa.

Sin embargo, se ha demostrado en fecha reciente, merced a los hallazgos realizados en diversos puntos del mundo, que no todos los dinosaurios fueron seres de sangre fría. Haber insistido, en el pasado, en incluir a todos los dinosaurios dentro de la misma familia de reptiles de características similares es algo que no ha sido del agrado de todos los paleontólogos contemporáneos.

Así, Robert Bakker, de la universidad de Colorado, escribió en el número de abril de 1975 de la revista *Scientific American* que tenía muy serias dudas al respecto y en septiembre de 1987 declararía que los enormes brontosaurios eran cosa muy aparte: no nacían de un huevo, sino vivos y de buen tamaño. Añadió que ningún huevo pudo contener a un ser que pesaba 160 kilogramos al nacer y que jamás se hallaron huevos de este animal. Por otra parte, la pelvis de la hembra era lo bastante amplia como para alojar fetos de enorme tamaño. En cuanto nacían las crías, estaban capacitadas para unirse a la manada. Es de suponer, terminaba diciendo Robert Bakkner, que los brontosaurios, además de otros dinosaurios, fueron seres de sangre caliente.

Once años antes, en noviembre de 1976, había aparecido publicado un libro original del paleóntologo Adrian Desmond, que decía que los dinosau-

rios fueron seres de sangre caliente. No fueron reptiles, sino que pertenecieron a otra rama de los vertebrados que evolucionó a partir de los reptiles. Agregó que fueron seres inteligentes y que nada tuvieron que ver con los pterodáctilos, reptiles a los que les habían crecido alas. Esta afirmación sería contradicha en 1988 gracias al descubrimiento de unos científicos soviéticos, del que se dirán unas palabras.

Cuando realizaban excavaciones en las montañas Karatau, en la república soviética de Kazakstán, situada entre el mar de Aral y el oeste de China, hallaron restos de fósiles de varios pterodáctilos y comprobaron que fueron animales peludos y que las membranas que formaban las alas estaban unidas a sus extremidades. ¿Fueron los antepasados de los actuales murciélagos y de los quirópteros en general, que son mamíferos provistos de alas? Finalmente, se dirá que no todos los

dinosaurios fueron de tamaño gigante. Los hubo pequeños como gallinas y no todos fueron de sangre fría. En cuanto a que algunos dinosaurios hayan sido ovíparos, es menester recordar que en Australia viven todavía en la actualidad unos mamíferos conocidos como ornitorrincos, pertenecientes al orden de los monotremas. Son una auténtica reliquia del pasado, que poseen pico, y las hembras ponen huevos y amamantan a las crías. ¿Acaso descienden estos seres de los dinosaurios?

Siguen en pie las discusiones sobre el otro enigma de los dinosaurios: saber por qué se extinguieron. Han surgido numerosas teorías para explicarlo, algunas fantásticas y otras perfectamente lógicas, y cada uno de los sabios que ha abordado el tema ha considerado —como suele suceder entre ellos— que sólo la suya es la teoría aceptable. Sin embargo, para algo han sido útiles las discusiones: estudiar el fin de los dino-

Aunque hubo antaño dinosaurios de todos los tamaños, desde el cercano a los ratones, hasta el que superaba varias toneladas, al hablar de ellos se suele pensar en moles enormes, de dos o cuatro patas. Sin embargo, hubo dinosaurios ligeros, así como algunos se alimentaban de carne y otros eran vegetarianos o vivieron sumergidos en los pantanos.

saurios ha conducido a analizar las catástrofes sucedidas en el pasado y determinar si obedecieron a un ciclo preciso y si volverán a suceder y cuándo ocurrirá ello.

Primero, las teorías inverosímiles

La teoría fantástica fue lanzada por algunos autores de relatos de ciencia ficción: hace 65 millones de años llegaron a nuestro planeta unos seres que habían volado desde otra galaxia a bordo de naves inmensas. En su patria no lograban conseguir proteínas en abundancia para alimentar a la población. Era de temer que llegaran a desaparecer o a pasar hambre. Enterados de que en el tercer planeta del sistema solar vivían animales gigantescos por millares, vinieron hasta acá a matarlos. Embarcaron en sus naves los animales destazados y dejaron en el suelo los huesos limpios, para delicia de los

paleontólogos que llegarían un día u otro a descubrirlos.

Al lado de esta simpática teoría se ofrece otra que culpa de todo a una supernova. Fue ideada en febrero de 1972 por K. D. Terry, W. A. Tucker y Dale Russell, de las universidades de Kansas y Cambridge y del Museo de Ciencias Naturales de Ottawa, respectivamente. Y fue apoyada por los astrofísicos soviéticos V. I. Krasovsky e I .S. Shklovsky, autores a su vez de una curiosa hipótesis sobre los dos diminutos satélites de Marte: no son naturales, sino que los colocaron en su órbita seres pertenecientes a una avanzada civilización desconocida.

Las radiaciones emitidas por la supernova al estallar viajaron por el espacio y llegaron a la Tierra, en el

En general, son los museos relativos a los campos científicos los que más atraen a la población infantil, aunque, por cierto, ello no excluye a los mayores que, desde su infancia, siguen buscando quizás algunas de aquellas explicaciones que gracias al progreso tecnológico pueden ofrecerse hoy en día.

momento preciso en que su campo geomagnético que la protege se encontraba en su punto más bajo. Aquellas radiaciones mataron a los dinosaurios, pero lograron salvarse los animales de menor tamaño que pudieron refugiarse en cuevas, madrigueras o debajo de las rocas.

El francés Jacques Bergier, ya fallecido, coautor con Louis Pauwels del libro *El retorno de los brujos* que tanto éxito de venta tuvo hace más de treinta años en todo el mundo, afirmó a continuación que se produjeron en la Tierra, de resultas de las radiaciones, pasmosas mutaciones: se redujo el tamaño de los dinosaurios, creció su cerebro y se dio paso nada menos que a los seres humanos. Añadía Bergier que la supernova fue provocada por los científicos de una civilización superior: deseaban acelerar el proceso evolutivo de los dinosaurios para llegar antes al bípedo pensante que pulula ya en este planeta. Supieron que, en cierto momento, bajarían las defensas de éste y que llegarían con mayor facilidad las radiaciones del exterior.

En ocasión de celebrarse el Año Geofísico Internacional 1957-1958 se había descubierto que ese mínimo de la protección geomagnética oscila de acuerdo con un ciclo y que alcanzará de nuevo su punto más bajo hacia el año 3500. ¿Qué sucederá entonces, se preguntaba el francés, si por mala suerte estalla en aquel momento una supernova? ¿Propiciarán sus radiaciones el nacimiento de una nueva raza humana?

En febrero de 1984, cuando nadie parecía acordarse ya de la teoría de la supernova, llegó Aristides Yayanos, de la Institución Scripps, de La Jolla, California, a declarar que una llamarada excepcionalmente poderosa del Sol, o acaso una supernova, lanzó un bombardeo de neutrones, los cuales produjeron radioisótopos de muy corta duración, pero lo bastante enérgicos como para aniquilar a los seres de mayor tamaño, más expuestos a sus efectos letales. Es decir, los dinosaurios.

Según otros, el culpable fue un meteorito

Sin duda, fue el Dr. Walter Alvarez —norteamericano a pesar de su apellido tan castizo— el responsable de que tantos científicos comenzaran a interesarse en el fin de los dinosaurios y lanzaran algunas teorías, aunque fuera sólo para llevarle la contraria. Declaró Alvarez en 1980 que fue un enorme asteroide caído en la Tierra el que acabó con los gigantescos seres. Y para defender su punto de vista añadió que había descubierto vestigios de iridio en los lugares donde vivieron antaño los dinosaurios. Este metal, asociado en ocasiones con el platino, arribó acompañando al asteroide. La teoría de la supernova no valía ya para nada.

El enorme asteroide se desintegró al chocar contra nuestro planeta y se produjeron dramáticos cambios en las formas de vida que condujeron a la extinción de algunas especies. Se produjeron ondas cálidas y fuertes vientos acompa-

No cabe duda de que fue el doctor Walter Álvarez quien acicateó el interés de la comunidad científica, cuando propuso la teoría de que los dinosaurios habían sucumbido a los cambios que produjo en nuestro planeta la caída de un asteroide de grandes proporciones. En esta fotografía de las Pléyades, tomada en septiembre de 1968, se aprecia una "estrella" intrusa —el asteroide Victoria— que pasó entonces por delante del grupo.

ñados de polvo, que oscurecieron el cielo. Murieron asfixiados los dinosaurios y un gran número de plantas, así como los peces que vivían en las capas más altas de los océanos y el plancton del que se alimentaban.

Tan interesados estaban los científicos en el enigma que, en 1981, se reunieron expertos de todo el mundo en Ottawa, invitados por el Museo de Ciencias Naturales local y por el Instituto Herzberg de Astrofísica. Iban a discutir la validez de la nueva teoría propuesta por Walter Alvarez. Este físico y su hijo Luis habían descubierto, en Italia, iridio en cantidades anormalmente elevadas, en lugares donde hace 65 millones de años vivieron los dinosaurios. Este metal noble, semejante al platino, solamente pudo haber llegado a estos puntos a bordo de un asteroide, de 10 kilómetros de diámetro; al chocar contra la Tierra se desintegró formando una pantalla de polvo que detuvo la fotosíntesis de las plantas y alteró la cadena alimentaria esencial para la vida de dinosaurios y otros seres.

La teoría de Alvarez no supo aclarar en dónde exactamente cayó el asteroide, ni siquiera si llegó a la Tierra. No

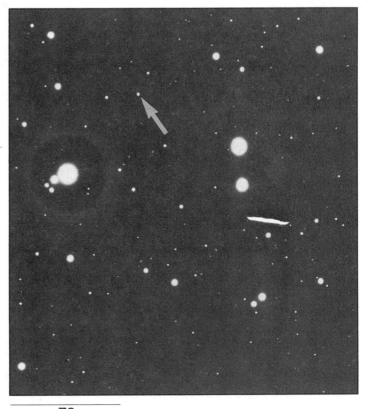

existe ningún cráter en la supertície del planeta que pueda apoyar esta teoría. El hallado por Alvarez en Iowa, que corresponde casi al fin de los dinosaurios, es demasiado pequeño. Por otra parte, es anterior en cuatro millones de años a su desaparición, dicen los enemigos del Dr. Alvarez. Y añaden que, de haber caído al mar, habría provocado fuertes marejadas y removido el fondo submarino. Quedarían señales de lo ocurrido, como serían huellas de una actividad sísmica susceptible de modificar el movimiento de desplazamiento de las plataformas de los continentes.

En apoyo de la tesis del asteroide acudieron el geofísico Thomas Ahrens y el astrónomo John O'Keefe, del Caltech. Sugirieron que el asteroide cayó en el océano Pacífico provocando una ola gigantesca, alta de 4.000 metros, que dio la vuelta al planeta a una velocidad de 700 kilómetros por hora, inundando las tie-

Por fortuna para los napolitanos, el Vesubio no ha representado para ellos un peligro en los últimos años. Pero si hiciera erupción de forma por demás violenta, con abundante ceniza, representaría un peligro mortal: las cenizas influyen en el clima; los dinosaurios y otras especies animales fueron víctimas del invierno repentino resultado de las materias que oscurecieron el Sol.

rras donde vivían los dinosaurios. Provocó el impacto una nube de polvo que oscureció la luz solar. Sin embargo, opinaban los dos científicos que no fue la nube la que acabó con aquellos seres y otros animales, sino el inmediato aumento de la temperatura, suficiente para destruir sus fuentes de alimentación. Y en cuanto a que no haya sido localizado el cráter producido por el choque en el mar, es lógico que así sea, porque el fondo marino ha sufrido desde aquellos tiempos remotos fuertes cambios.

Surgen contradicciones en la teoría de Alvarez

Michel Rampino, de la NASA, y Robert Reynolds, del Darmouth College, declararon a continuación que el Dr. Alvarez estaba en un error. Estudiaron diversas arcillas en España, Dinamarca, Italia y Túnez, viejas de 65 millones de años, y descubrieron algo revelador: el iridio hallado procedía de

volcanes y no de asteroide alguno. Añadieron que la actividad volcánica fue tan intensa en aquellos tiempos que trastornó el clima. Murieron los dinosaurios, pero se salvaron las tortugas, los cocodrilos y otros reptiles más protegidos, que sobrevivieron sin sufrir casi cambios, hasta la fecha.

A continuación, científicos de la universidad de Maryland informarían, en 1984, por conducto de la revista *Science*, en su número del 9 de diciembre, que habían hallado también restos de iridio en las cenizas del volcán Kilauea, en las islas Hawaii. Pero no supieron determinar su antigüedad.

En abril de 1982, el Dr. James Jensen, el especialista número uno en dinosaurios de Estados Unidos además de conservador en el Museo Brigham Young, en la universidad de Provo, Utah, declaró también que la teoría de Alvarez tenía muchos puntos susceptibles de investigación y discusión. ¿Cómo explicar que el asteroide hubiese exterminado a los dinosau-

La nube de cenizas que lanzó al espacio el volcán Chichonal, a lo largo de varias semanas, tomó el camino del oeste y alcanzó hasta Arabia y las costas de África. Provocó severos oscurecimientos que se tradujeron en prolongados cambios del clima en gran parte del planeta.

rios, dejando vivos a los cocodrilos, hermanos suyos menores?

Finalmente, en febrero de 1986 surgió la tesis de Charles Officer y Charles Drake, del Darmouth College, y de Anthony Hallam, de la universidad británica de Birmingham, refutando la de Alvarez. Al parecer, el iridio no apareció de repente, como ocurriría si hubiera llegado a la Tierra en un asteroide, sino muy lentamente y demostraron que los volcanes, aun hoy, a veces escupen iridio.

En lo que nadie parece disentir es en que hace unos 65 millones de años sucedió algo misterioso, culpable del inexplicable fin de los dinosaurios. Leo Hickley, del Instituto Smithsoniano, y William Clemens, de la UCLA, en Berkeley, afirmaron en 1984 que después de 50.000 años de la caída de los supuestos meteoritos, vivían todavía los dinosaurios y que la causa de su extinción debió ser otra. Explicaron que murieron primero aquellos que vivían en el norte y que les siguieron los del

sur, a lo largo de un millón de años, y que la desaparición tuvo que ver con un cambio radical en las condiciones meteorológicas del planeta.

Otras teorías sumamente curiosas

Una explicación interesante sería dada a conocer en fecha reciente por dos científicos franceses. No sólo en Estados Unidos parecen dedicarse a estos menesteres. Uno de ellos fue el Dr. Claude Pieu, biólogo del Centro de Investigaciones CERS. Descubrió que los huevos puestos por algunas especies de tortugas producen crías de uno u otro sexo según la temperatura de incubación. Por debajo de los 30 grados centígrados resultan tortugas machos, y por encima nacen tortugas hembras.

El fenómeno no sucede entre los mamíferos, cuya diferenciación sexual obedece a un mecanismo genético: los cromosomas sexuales determinan en cada caso el sexo. Aplicando el resultado de sus trabajos al misterio de los

Se ha echado la culpa a los antiguos depredadores de la extinción generalizada de los dinosaurios, por devorar los huevos que las hembras se olvidaban de cuidar. Sin embargo, la tesis no es válida en todos los casos, dado que algunos dinosaurios fueron, al parecer, vivíparos. También están en peligro los actuales cocodrilos: hay animales de cuatro patas que devoran sus huevos, y bípedos que matan a los adultos para aprovechar su piel.

dinosaurios, Pieu hizo una extraña declaración: la variación de unos cuantos grados en la temperatura ambiente pudo ser decisiva en el futuro de los dinosaurios. Si bajó de resultas de una serie de erupciones volcánicas o por la caída de un gigantesco asteroide solamente dinosaurios machos nacieron. Al faltar las hembras, siguió la extinción de la especie. Por mala suerte, el Dr. Pieu no tomaba en consideración que el fenómeno se habría producido únicamente en ciertos dinosaurios, los reptiles. En nada habría afectado a los brontosaurios y a todos los demás vivíparos.

Otra teoría curiosa fue obra del Dr. Vincent Courtillot, del Instituto de Geofísica del Globo, con sede en París. Descubrió recientemente, en la península hindostana del Decán, entre Hyderabad y Bombay, unos bloques de basalto viejos de 65 millones de años. Correspondían a la erupción de un volcán que estuvo activo durante medio millón de años, a fines del Cretáceo.

suficiente para contaminar la atmósfera entera con sus gases sulfurosos y su polvo. Los dinosaurios no tuvieron nada que echarse a la boca, porque las emanaciones habían destruido la vegetación, así como a los animales que servían de alimento a algunos de ellos. No sería la última vez que un volcán haya ocasionado muy graves trastornos al planeta. Las erupciones del Chichonal mexicano y del Santa Helena norteamericano cubrieron de cenizas una amplia región de la atmósfera y sus efectos se dejaron sentir hasta lugares sumamente alejados. Incluso provocaron cambios en la corriente de Humbolt, que llega a las costas del Perú, y severas sequías en este país, en Ecuador y Australia.

La teoría del Dr. Courtillot parece acordarse con la opinión del Dr. Dewey McLean, paleontólogo del Instituto Politécnico de Virginia, según el cual la desaparición de los dinosaurios no fue repentina, sino que se extendió a lo largo de varios cientos de miles de años. Esto permitió a una gran parte de la fauna adaptarse a las nuevas condiciones, mientras la otra era eliminada. El proceso de extinción parece haberse iniciado, según McLean, cuando una porción del África oriental se desprendió del continente y comenzó a desplazarse hacia el este, hasta chocar contra el Asia meridional.

Este movimiento tectónico no fue nada pacífico; llegó acompañado de terremotos y erupciones, cuya lava lo cubrió todo, y por emanaciones gaseosas que trastornaron el equilibrio ecológico y de la atmósfera. La enorme emisión de anhídrido carbónico aprisionó el calor y provocó una elevación increíble de la temperatura, suficiente para detener el proceso de reproducción de los dinosaurios pero sin afectar a los animales de menor tamaño. La lava lanzó a la superficie porciones de iridio, lo que explicaría la presencia del metal en diversos puntos del planeta.

Se ha sugerido también que los dinosaurios gigantes enfermaron del corazón. Les resultaba cada vez más difícil bombear la sangre hasta el resto del cuerpo y en especial al cerebro. En la Selva Negra alemana se hallaron en fecha reciente restos del llamado *Tanistrofeo*, que vivió hace 200 millones de años. Su cuello medía 3,5 metros para un cuerpo de 6. Ese cuello tenía 12

Entre las diversas teorías de los cataclismos que pudieron ocasionar la extinción de los dinosaurios, se halla la erupción de volcanes, cuya lava y emanaciones habrían devastado la vegetación de la que se alimentaban, y la irrupción de una enfermedad cardíaca que los diezmó. De lo que no cabe duda alguna es de su enorme tamaño, como lo demuestran estos huevos fosilizados.

vértebras y carecía de flexibilidad. La presión sanguínea de aquel ser era altísima, para poder enviar sangre hasta el diminuto cerebro, igual que sucede en nuestros días con las jirafas. Fue un ser monstruoso que se extinguió muy pronto, porque no estaba en condiciones de sobrevivir. Pero, en los demás dinosaurios, tal parece que la víscera cardíaca tardó un buen puñado de millones de años en darse cuenta de que algo no iba del todo bien en el conjunto de su organismo.

Y, en especial, sufrieron más los dinosaurios de sangre caliente: cayeron con mayor facilidad víctimas de las epidemias que resultaron de tantos cataclismos.

Otras interesantes teorías, para terminar

En esto llegó, en octubre de 1983, el profesor Giuseppe Leopardi, del Centro de Investigaciones de Venecia, en Italia, a afirmar lo siguiente: los

dinosaurios perecieron por culpa de unos mielosarcomas, o tumores cancerosos que atacaron a su médula espinal, y de otros no malignos, los hemangiomas, que destruyeron sus vasos sanguíneos.

En octubre de 1985 tocaría el turno de intervenir en este mar de teorías al paleontólogo Antoni Hoffman, del Geological Survey Lamont Doherty, de Nueva York. Declaró que los dinosaurios parecen haber desaparecido coincidiendo con el arribo y consiguiente bombardeo de diversos cometas, pero que no lo hicieron todos al mismo tiempo. Por fortuna. Su colega J. J. Sepkovsky había declarado ya que existe una cierta periodicidad en los cataclismos, coincidiendo con la llegada de cierta estrella conocida como Némesis a las inmediaciones del sistema solar.* Hoffman culpaba de la extinción de los dinosaurios a la inversión magnética sufrida por el planeta, que suprimió temporalmente al escudo magnético que lo protege. Esto permitió el arribo

Otra de las enfermedades que se barajaron como probable causa de la desaparición de los dinosaurios fue el cáncer, sin embargo, no debe descartarse la sencilla posibilidad de que otros animales comieran los huevos puestos por las hembras, tal como sucede hoy con los cocodrilos, cuya población disminuye alarmantemente. La foto de estos huevos de dinosaurio fue tomada en Shabarakh Usa (Mongolia), durante unas investigaciones arqueológicas. En la página siguiente, monumento al dinosaurio.

de radiaciones cósmicas letales. En resumidas cuentas, los pobres animales desaparecieron de resultas de una sobredosis de rayos cósmicos. Lástima, porque no tuvieron la fortuna de evolucionar hasta convertirse en seres humanos inteligentes, como sugería Jacques Bergier.

Pudo suceder también con los dinosaurios lo mismo que está ocurriendo en la actualidad con los cocodrilos, que se están extinguiendo porque otros animales se alimentan con los huevos que ponen sus hembras. Pero esta teoría ha sido rechazada porque, según se ha averiguado, los dinosaurios no abandonaban a los huevos ni a sus crías. Uno de los científicos que llegaron a esta conclusión fue John Horner, del Museo de Historia Natural de la universidad de Princeton. Halló en 1979, en un lugar de Montana, lo que parecía nido de dinosaurios, que tenía la misma forma de pequeño túmulo adoptada por los actuales cocodrilos. El nido contenía los restos fosilizados de quince recién nacidos. Estaban lo bastante desarrollados como para abandonar muy pronto el sitio y unirse a los

---

* Ver acerca de Némesis la segunda parte de esta obra, dedicada a los mitos del fin del mundo.

LOS RESTOS DEL MAYOR DINOSAURIO
CONOCIDO FUERON HALLADOS EN 1987 EN LOS
MONTES JEREZ (NUEVO MÉXICO), EN UNA
FORMACIÓN GEOLÓGICA VIEJA DE 144
MILLONES DE AÑOS. CONSISTÍAN EN
OCHO VÉRTEBRAS, UN FÉMUR Y
DIVERSOS FRAGMENTOS. LOS
PALEONTÓLOGOS DEL MUSEO
DE HISTORIA NATURAL DE LOS
ALAMOS RECONSTRUYERON EL
MONSTRUOSO SER, QUE
DEBIÓ TENER EN VIDA 40
METROS DE LARGO Y 10
DE ALTO. LO LLAMARON
SISMOSAURIO PORQUE
LA TIERRA DEBÍA
ESTREMECERSE
CON SUS PISADAS.

adultos. Horner no supo decir qué mató a los pequeños. Encontró ceniza volcánica en el lugar, pero había caído sobre las crías mucho tiempo después de su muerte misteriosa.

Finalmente, está la teoría lanzada por J. Douglas Macdougall, geoquímico de la Institución Scripps. Dijo a mediados de 1988 que fue una lluvia ácida la que acabó con los dinosaurios. Fue el resultado de la formación de óxidos nitrosos en la atmósfera, que al mezclarse con el agua formó esa lluvia ácida, tan semejante a la que está devastanto los bosques de Europa y destruyendo las obras de arte que habían resistido el paso del tiempo.

Las teorías que han intentado explicar la muerte casi repentina de los dinosaurios, sucedida hace unos 65 millones de años, son tantas, como puede verse, y tan variadas, que resulta imposible conocerlas en su totalidad. Tal vez estaba en lo cierto aquel científico, cuyo nombre se nos fue de la memoria, cuando declaró, en fecha reciente, al referirse al fin de los dinosaurios: ¿para qué preocuparse tanto por la forma en que murieron? Perecieron absolutamente todos, y ya.

EL SUDARIO QUE JAMÁS ENVOLVIÓ A CRISTO

En 1898 fue fotografiado por primera vez el famoso lienzo, largo de unos cuatro metros, que se conserva aún en la catedral de Turín, y al cual la tradición le había concedido el rango de Santo Sudario. Es decir, el manto que sirvió para envolver el cuerpo sin vida de Jesucristo poco antes de la Resurrección. Antes de esto, la imagen había sido reproducida en el siglo XVI, con admirable exactitud, por el pintor Giulio Clovio, en un cuadro admirable que mostraba las huellas ventrales y dorsales del manto.

En realidad, el sudario había permanecido desapercibido hasta ese año 1898, cuando dieron comienzo las discusiones y los comentarios acerca de su verdadero origen. Hubo entonces grandes controversias acerca de si era genuino o si sólo se trataba de una falsificación.

Apareció primero en un pueblo de Francia

El sudario que tantas polémicas ha provocado, en especial en los últimos años, fue visto por primera vez en el siglo XIV, en la iglesia de Lirey, aldea situada en el sur del Perigord, antigua región francesa formada por los actuales departamentos de Dordoña y Lot-et-Garonne y que siempre se ha distinguido por sus trufas y su excelente cocina.

En el año 1357, el señor del lugar, Geoffroy I de Charny, lo había donado a la iglesia por él fundada, pero se ignora cómo obtuvo el sudario. Al hacerse del público conocimiento la noticia de que en la iglesia se guardaba lo que parecía ser el Santo Sudario, comenzaron a acudir a ella los peregrinos por millares. Pero monseñor Henri de Poitiers, obispo de Troyes, ordenó abrir una investigación sobre el lienzo de Lirey.

Llegó a la conclusión de que se trataba de una falsificación. La supuesta reliquia dejó de ser exhibida y nadie volvió a acudir al lugar. Pero sólo durante algún tiempo.

Treinta años más tarde, habiendo sucedido a Geoffroy su hijo del mismo nombre, se reanudaron las romerías al lugar donde se conservaba aún el lienzo considerado sagrado. Geoffroy II aprovechó la visita que hizo por aquellos días al legado del papa de Aviñón para solicitar permiso y exhibir de nuevo la reliquia. Eran los tiempo del Cisma de Occidente, cuando los papas fueron a establecerse en la ciudad de Aviñón, situada a orillas del río Ródano y a escasos cien kilómetros del mar.

Monseñor Pierre d'Arcy, quien había sucedido a Henri de Poitiers como obispo de Troyes, pidió a Clemente VI, papa de Aviñón, que interviniera en tan difícil asunto. Explicó que su ilustre

En Francia, como en España, abundan las iglesias románicas de los siglos XI al XII como ésta de Saint-Benoit-sur-Loire, que posee tesoros y reliquias muy especiales. Son numerosas las iglesias que poseen o han poseído el verdadero y único Sudario con el rostro impreso de Jesucristo.

antecesor había descubierto que el sudario era falso y que él había conocido incluso al pintor que lo produjo. Al principio, el papa ordenó tender una cortina de silencio sobre el tal sudario, pero cambió de opinión poco más tarde y autorizó su exhibición, pero con una condición: que se informara a los creyentes de que se trataba de una simple imagen del Señor y no del verdadero Santo Sudario. Es de suponer que, al paso de los años, se fueron olvidando en la iglesia de esta condición, hasta perderse la memoria de ella. Como puede verse, las primeras dudas en cuanto a la autenticidad del sudario no fueron obra de los científicos, sino de los hombres de la Iglesia.

En el curso de la Guerra de los Cien Años, que no tardó en estallar, el sudario fue sacado de la iglesia de Lirey por Margarita de Charnay, nieta del primer Geoffroy, que no deseaba verlo caer

HOLYOKE PUBLIC LIBRARY

en manos de quienes pudieran destruirlo. Fue a cedérselo, quién sabe si en calidad de préstamo, al duque Luis de Saboya, quien se lo llevó consigo a la ciudad de Turín. Y allí ha permanecido hasta la fecha, aunque en 1532 sufrió las consecuencias de un incendio que a punto estuvo de quemarlo y que dejó en el tejido huellas de metal fundido. Después de esto fue entregado al arzobispo de Turín, quien sabría cuidarlo mejor. Desde entonces ha sido conocido como manto o sudario de Turín.

Hubo competidores del sudario

Además del manto de Turín ha habido otras piezas presentadas como auténticos sudarios que cubrieron el cuerpo de Cristo, en especial en algunas antiguas iglesias del imperio bizantino. En 1171, el arzobispo Guillermo de Tiro mencionó un sudario que había visto en la colección imperial de reliquias. Otro ciudadano bizantino, Guillermo Mesaritis, contaba en 1201 que Cristo resucitaba, ciertos días, en la capilla del Faro, de Constantinopla, donde guardaban su verdadero sudario.

El primer testimonio de un autor occidental, acerca del sudario, pertenece al caballero Roberto de Clari, quien a su regreso de las Cruzadas juró haber visto elevarse por sí solo el sudario de Cristo, todos los viernes. Pero no dijo en qué lugar. Hubo otro sudario, el conocido como *Mandylion*, que fue encontrado el año 525 en la ciudad turca de Edesa. Sólo se veía el cuerpo, pero no la cabeza de Cristo. Se cuenta que en 944 fue llevado a la ciudad de Constantinopla, la actual Estambul.

Otro supuesto sudario fue el llamado de Compiègne, al que ofreció un magnífico relicario la reina Matilde, esposa de Guillermo el Conquistador, duque de Normandía que conquistó Inglaterra en 1066 después de vencer al rey Harold en Hastings. Se conservó varios siglos en la localidad mencionada, hasta su destrucción, en el curso de la Revolución Francesa.

Hubo otro sudario más, largo tiempo exhibido ante los fieles creyentes en la ciudad francesa de Besançon. A este lugar, situado al pie de los Alpes, acudieron a hincarse ante la reliquia san Francisco de Sales, santa Juana de Chantal y el propio rey de Francia, Luis

En los últimos años ha crecido el interés por conocer mejor el Santo Sudario que conserva la catedral de Turín. Como sucede en tales casos, las discusiones no llegan aún a su fin, ni llegarán nunca: algunos expertos han demostrado que el lienzo data del siglo XI. Otros han demostrado todo lo contrario.

XIV. También acabaron con él durante la Revolución Francesa. Según se dijo, el sudario de Besançon era copia casi exacta del de Turín.

Se sabe que aparecieron otros sudarios, fabricados durante los siglos XVI al XVIII, considerados todos auténticos, de los que se conservan aún algunos. Largo tiempo se creyó que un sudario que se conserva todavía en la iglesia de Cadouin, pueblo situado en el sur del Perigord, como Lirey, era el único que podía considerarse genuino. Fue exhibido al público por última vez en 1930, por deseos del cardenal Verdier. Por aquellos tiempos comenzó a perder credibilidad este sudario, desde que el jesuita J. Francez descubrió que los dibujos de la orla eran caracteres arábigos estilizados.

Al descifrarlos vino a saberse que databan del año 1100 de nuestra era y que el supuesto sudario vino del Cercano Oriente.

Surgen las discusiones en torno al sudario de Turín

La fotografía del sudario de Turín obtenida en 1898 señaló el momento de iniciarse las dudas y las discusiones. Algunas personas insistieron en afirmar que era auténtico y que conserva aún la huella del cuerpo de Jesús, impresa poco después de su muerte en la cruz, tal como se especifica en el Evangelio de San Juan, versículo 40 del capítulo 19: «Tomaron el cuerpo de Jesús y lo envolvieron en lienzos con especias aromáticas, según es costumbre sepultar entre los judíos.»

No faltaron quienes afirmaron que se trataba de un error, por no decir de una falsificación. Otros más sugirieron que, a pesar de tener el sudario la huella de un rostro y de un cuerpo, no por eso tenían que pertenecer ambos a Jesús de Nazaret, y que si el sudario era falso no atentaría en absoluto en contra de la veracidad de los Evangelios.

En aquel año 1898, los expertos manifestaron que la imagen aparecía muy poco contrastada y que su tinte sepia no se diferenciaba casi nada del color del lino con que fue tejido el lienzo. Solamente podía distinguirse con claridad si se examinaba desde cierta distancia. Se procedió entonces a fotografiar el sudario. Reveló una imagen más neta y perturbadora que la simple visión del tejido. El negativo mostraba, en cambio, mayor nitidez del rostro, de facciones alargadas, evocaba el personaje de Cristo tal como lo pintaron los artistas bizantinos. Es decir, que el sudario actuaba como negativo susceptible de producir positivos mucho más claros.

Esto obligó a afirmar a numerosos creyentes que, no existiendo negativos antes de la invención de la fotografía, sólo podía tratarse la imagen del sudario de una creación sobrenatural destinada a mostrar a los escépticos la verdad del relato evangélico. Algunos papas se declararon entonces convencidos de la autenticidad del lienzo, pero

cuidándose mucho de hacer de ello un artículo de fe. No faltó quien opinó entonces lo siguiente: los testimonios llegados del pasado que aludían a varios sudarios debían corresponder a uno solo.

En opinión de algunos científicos norteamericanos que estudiarían el manto de Turín a partir de 1967, que confiaban más en las pruebas de laboratorio, el sudario debió ser elaborado en la Europa medieval por un artista desconocido. Para el francés Gilbert Brunet, autoridad mundial en historia de las religiones, el sudario no era más que una falsificación traída de Constantinopla por algún guerrero cristiano que regresó de las Cruzadas y debió ser creado, entre los siglos XI y XII, por unos monjes bizantinos.

Afirmaron otros expertos lo siguiente: no existe ninguna prueba que demuestre la falsificación y, sin embargo, el sudario presenta dos elementos sujetos a discusión. Uno es que el rostro del supuesto crucificado aparece en el mismo plano del cuerpo, lo cual es anatómicamente imposible. En efecto, en un cuerpo tendido a lo largo, el ángulo de la cabeza es oblicuo con respecto al tronco, porque se encuentra inclinada para atrás. En tal caso, la imagen obtenida debería mostrar úni-

Hasta que se llegue a una conclusión definitiva, seguirá debatiéndose la fidelidad del sudario de Turín, que probablemente sea la reliquia más controvertida de toda la historia. Mientras tanto, las fotografías hechas con los métodos más avanzados revelan un rostro bastante nítido cuyos rasgos evocan los que pueden verse en la figura de Cristo de las pinturas bizantinas.

camente la barbilla, la base de la nariz y tal vez el inicio de las cejas.

El otro elemento discutible es que las manos reposan sobre el pubis, lo cual tampoco es posible: en un cuerpo humano sin vida, no pueden unirse las manos en esta postura, en ese punto, sino que suben al estómago. Ambas anomalías bastarían para denunciar al sudario como una falsificación y afirmar que fue realizado sobre una estatua de tamaño natural o sobre un modelo vivo. Sólo así se tendría suficiente tono muscular para mantener las manos unidas sobre el pubis.

La ciencia impone su criterio

Entre los años 1965 y 1973 comenzó a ser analizado el tejido del sudario, utilizando técnicas científicas modernas, y se presentó un informe con las siguientes conclusiones: *a)* la imagen no fue pintada sobre una tela normal, porque los pigmentos habrían penetrado en las fibras del lino, y éstas estaban coloreadas sólo superficialmente. Este punto iba en contra del parecer de los escépticos; *b)* las pruebas realizadas en el lugar correspondiente a las llagas no mostraron señales de sangre, ni pudo afirmarse que el sudario hubiese envuelto el cuerpo de un hombre muerto en el suplicio; *c)* varios expertos sugirieron que pudo haberse utilizado una estatua de madera, cubierta con alguna clase de pintura, para crear la figura.

En 1973, el criminólogo suizo Max Frei recibió autorización del arzobispo de Turín para recoger del sudario, por medio de una cinta adhesiva, partículas de polvo. Anunció después del análisis realizado que había identificado granos de polen de plantas originarias de Francia, pero también de orillas del mar Muerto.

Cuatro años más tarde, John P. Jackson y Eric J. Jumper recurrieron a un complicado proceso informático, en la universidad de Yale, para analizar la fotografía obtenida del sudario y lograr una imagen tridimensional, basándose en las intensidades relativas del color en las diversas partes de la imagen. Era un proceso semejante al que se ha venido utilizando para transformar las viejas películas en blanco y negro en cintas a todo color. Poco después, en una reunión celebrada en Alburquerque, Nuevo México, por el STURP (Shroud

Pintura original del alemán Albrecht Altdorfer que se conserva en el Museo del Estado de Berlín. El pintor vio a su manera la Crucifixión, con los dos ladrones desnudos y los pies de los tres crucificados juntos, con un solo clavo atravesándolos. Por ningún lado aparece el sudario, a pesar de que no tardarán en descender el cuerpo de Cristo.

of Turín Research Project), Jackson y Jumper presentaron su teoría. La imagen de Cristo había sido impresa en el lienzo de lino en el momento mismo de la Resurrección, cuando un destello de energía sobrenatural «fotografió» el tejido con intensidades variables, de acuerdo con la distancia que separaba las fibras de lino de cada punto del cuerpo emisor de la radiación.

Las conclusiones de STURP se hicieron pronto famosas y defendidas por los creyentes. En consecuencia, 33 miembros de la organización, entre ellos Jackson, llegaron en octubre de 1978 a Turín, donde por primera vez en los últimos cuarenta años era expuesto el sudario en su catedral. Para fines del siguiente año, los viajeros habían llegado a la certeza de que el sudario no había podido ser fabricado artificialmente, sino que era de origen sobrenatural. Y en octubre de 1981 volvieron a reunirse, esta vez en New London Conn., para discutir de nuevo el asunto. Fue entonces que sufrieron el mayor de los disgustos.

O, mejor dicho, sufrieron, en realidad, dos enormes disgustos.

Se vuelven más cuidadosos los análisis

Fue primero Noe Nickell, quien aplicó un lienzo sobre un bajorrelieve humedecido con una solución de óxido ferroso. Obtuvo así una figura asombrosamente semejante a la del sudario. Quiso con ello probar que la imagen del sudario de Turín —y todos los demás conocidos— pudo haber sido obtenida por medios naturales. Sobre una figura en relieve, como puede ser un busto o una escultura completa, añadió, el tejido que sobre ellos se aplique no tendrá proporciones normales, puesto que para cubrir las dos orejas, el lienzo tendrá que dar la vuelta al rostro. En consecuencia, terminó diciendo Nickell, el sudario de Turín no pudo envolver un verdadero rostro, sino que la huella fue tomada de un bajorrelieve.

Apareció a continuación Walter McCrone, químico especializado en el análisis de micropartículas, que había pertenecido en 1978 al STURP. Declaró que el sudario de Turín era una falsificación y que solamente podría aclararse el misterio que ofrecía recurriendo al análisis por la técnica del radiocarbono.

En vista de que el arzobispo de Turín no permitía la mutilación del sudario, por pequeña que fuera, echó mano McCrone de una técnica novísima: el espectómetro de masa, que medía la cantidad de carbono 14 presente y requería de una cantidad infinitesimal de tejido: tan sólo un miligramo. Las autoridades religiosas autorizaron entonces el análisis. En abril de 1988 se tomaron tres muestras de la parte inferior del sudario, 150 miligramos en total, en presencia del arzobispo, monseñor Anastasio Ballestrer, y de varios expertos, entre ellos Gabriel Vidal, del Museo Histórico de Tejidos, con sede en la ciudad de Lyon, capital francesa de las hilaturas.

Se enviaron sendas muestras al Museo Británico de Londres, al Instituto Federal de Tecnología de Zurich y a la universidad de Arizona en Tucson.

Coincidieron los resultados, que se hicieron públicos por el propio arzobispo el 13 de octubre: el lino que sirvió para tejer el sudario fue cortado en una fecha comprendida entre los años 1260 al 1390 de la era cristiana. No pudo haber envuelto el cuerpo de Cristo. Por su parte, McCrone llegó a la conclusión, por medio de estudios microscópicos, que el lienzo fue pintado con colores de agua. El veredicto científico resultó inapelable. El sudario resultó ser no una reliquia, sino una obra de arte que podría ser sometida a cualquier peritaje.

Por supuesto que el STURP rechazó los resultados obtenidos mediante el análisis. Iban en contra de lo que ellos habían establecido.

Siguen adelante las discusiones

Cuando los tres laboratorios mencionados decidieron que el sudario de Turín no era tal, sino una falsificación, surgieron de inmediato las voces disidentes. Declararon los inconformes que el análisis por la técnica del radiocarbono no siempre es digno de crédito, porque es sólo aproximado. Y se sintieron igualmente ofendidos porque el Vaticano había dado el visto bueno para que se realizaran las pruebas.

La determinación de la edad de un objeto de origen biológico permite una precisión, en ocasiones, hasta de 15 años, siempre que no sea más antiguo de 8.000 años. Sin embargo, los resultados pueden depender de ciertos factores, como es el clima. En el caso de este lienzo, puede afirmarse que el incendio sufrido en 1532, que alteró algunas partes del mismo, no pudo modificar los resultados del análisis, que dio el siglo XIII o el XIV.

Por lo que fuera, no hay duda de una cosa: el desconocido artista que produjo el lienzo, seguramente en el Cercano Oriente, poseía grandes conocimientos de anatomía, de la circulación de la sangre y de la reacción nerviosa al trauma, así como conocimientos de la Biblia. No era un cualquiera.

Finalmente, afirmar que el sudario es una falsificación —lo que había declarado ya el clero en el siglo XIV—

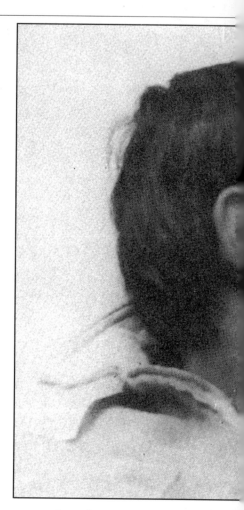

no va, ni mucho menos, en contra de la religión ni es una falta de respeto. Por el contrario, dar a conocer la verdad, la fortalece. Lo sucedido con el presunto Santo Sudario de Turín debería servir de ejemplo para acabar con las reliquias falsas que tanto abundan, por ejemplo, en Italia, donde se conocen varias tibias y otros huesos de un mismo santo, distribuidos en diversas iglesias del país.

EL FRAUDE DE LOS ROSTROS DE BÉLMEZ

En agosto de 1971 tuvo lugar un curioso fenómeno en una casa de Bélmez, pueblo de la provincia andaluza de Córdoba, donde vivía Juan Pereira con su mujer y sus dos hijos. Fue algo sin precedentes en la historia del lugar, que no tardó en hacerse del

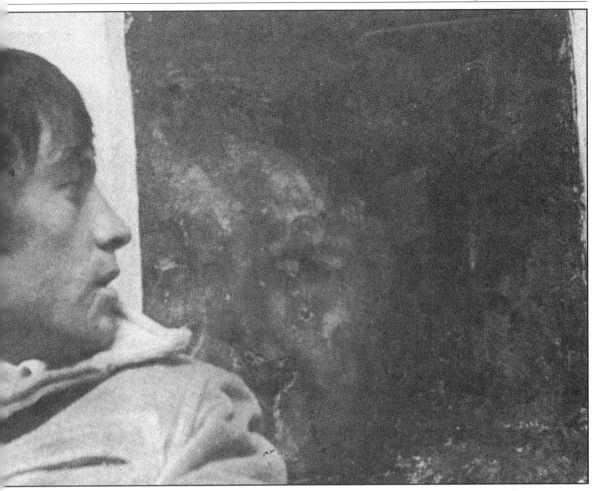

conocimiento general, en toda España e incluso en el extranjero.

Los rostros surgidos del más allá

María Gómez, esposa de Juan Pereira, limpiaba la cocina de su casa, la mañana del día 23, cuando apareció ante sus ojos, dibujado en el suelo, un rostro de tamaño natural, de nariz afilada, boca entreabierta y expresión atormentada. A pesar de que sus hijos eran ya unos mozos de veintitantos años, María supuso que se habían divertido haciendo dibujitos en el piso, sólo para fastidiarla con sus bromas.

Se propuso la mujer borrar el rostro frotándolo con un trapo. Nada consiguió. Y cuando llegó el marido a la hora de comer la encontró contemplando fijamente el rostro. Los vecinos poco tardaron en enterarse de lo sucedido y acudieron a ver el dibujo surgido de la nada. Como a Juan no le agradase ser molestado por tanto gentío, cogió un

Ya nadie se acuerda de lo sucedido en agosto de 1971 en el pueblo cordobés de Bélmez de la Moraleda, porque no ha vuelto a aparecer ningún rostro más en casa de Juan Pereira. Algunos entendidos han dicho que todo fue una farsa y otros que se trata de fenómenos paranormales que los ignorantes son incapaces de comprender.

martillo y rompió a golpes las baldosas. Llamó a un albañil para que cubriera el hueco con cemento.

Nada sucedió en los siguientes días, pero el 8 de septiembre apareció un segundo rostro, cerca de donde estuvo el otro, con expresión igualmente atormentada. Pereira acudió a la alcaldía, para consultar con el alcalde Manuel Rodríguez Rivas. Tal vez podría darle un buen consejo. Resultó de la entrevista que el albañil volvió a presentarse en el 5 de la calle Rodríguez Acosta. Abrió un pozo en la cocina, y al alcanzar los tres metros de profundidad, encontró unos huesos. El secretario del Ayuntamiento hurgó en viejos archivos y descubrió que en el lugar hubo dos siglos atrás un cementerio. Los vecinos atribuyeron entonces la aparición de los rostros a la intervención de los espíritus de quienes murieron en pecado mortal, que de esta manera se manifestaban. Se rellenó el pozo el 4 de noviembre.

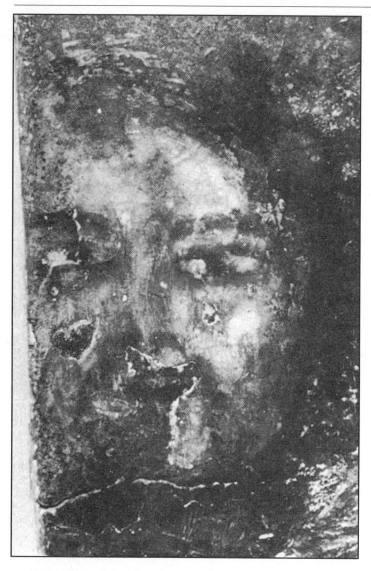

Tres días más tarde, el rostro desprendido del piso, que el albañil había pegado en la pared, había cambiado de expresión. Era ahora de verdadero terror. El día 20 apareció otro a un costado. ¿Era el albañil responsable de la broma? De ser así, Pereira estaba dispuesto a ajustarle las cuentas. Le prohibió volver a entrar en su casa. Pero el 2 de diciembre apareció un rostro más. Era ahora femenino, de facciones delicadas, deformado por una mueca de terror. Y junto a él surgieron unos rostros infantiles.

En la ilustración un primer plano de uno de los rostros aparecidos en Bélmez.

La noticia llega a todas partes

Llegaron a ver el fenómeno varios científicos y aficionados a la parapsicología, siguiendo muy de cerca a los periodis-

tas y a los camarógrafos de la televisión. El 9 de abril del siguiente año, la cocina de la familia Pereira estaba llena de gente, sin que el buen hombre pudiera impedirlo. El señor alcalde le había ordenado aguantarse, porque era en bien de la ciencia. Y también del turismo.

Algunos testigos tuvieron ocasión de presenciar la aparición, muy lentamente, de un nuevo rostro provisto de una larga barba blanca y ojos rasgados, que se fue tan misteriosamente como vino. Los periodistas opinaron que si alguien se estaba divirtiendo a expensas de los ingenuos presentes, lo estaba haciendo con envidiable maestría. Tal vez si llegaba al lugar un experto de verdad en aquellas cosas misteriosas sería posible aclarar el enigma de los rostros.

Este experto iba a ser el Dr. Germán Argumosa, especialista en fenómenos psíquicos, quien declaró al instante cómo se llamaba aquél que estaba contemplando. Lo primero, dar un nombre a las cosas. Recibía el nombre de *teleplastia* y también *ideoplastia*. Pero no supo explicar por medio de qué complicado mecanismo se produce. Entonces, para estar seguro de que nadie llegaría a la cocina a hacer más dibujitos, a espaldas suyas, Argumosa cubrió el piso de la cocina con un plástico, que selló en sus extremos. Deseaba probar ante todos que no intervenían factores humanos en aquello que los lugareños consideraban un milagro enviado por quién sabe qué santo. Abandonó el especialista la casa, cerró con llave su única puerta, la entregó al señor alcalde y se dispuso a esperar.

Regresó al cabo de una semana, acompañado por el alcalde y dos testigos escogidos al azar. En el piso había un nuevo rostro. Ahora sí podía afirmar Argumosa que no hubo truco. Quiso escuchar entonces la opinión de varios vecinos y no vaciló en pedírsela también al señor cura. Desechó el santo varón la intervención del demonio, lo cual probaba que era un sacerdote inteligente, y quiso dedicar mayor atención a cada uno de los miembros de la familia.

Descubrió el parapsicólogo que María Gómez, mujer de inteligencia inferior a la media, tenía antecedentes de histeria que hacían de ella una verdadera médium. Declaró que, cuando una persona ha sufrido un ataque de histeria, crea un campo magnético intenso que actúa de manera inconsciente sobre los objetos que la rodean. En el caso de María, debió leer en su infancia un libro que la impresionó —lo mismo que pudo suceder con el caso de Juana de Arco, según se dijo en páginas anteriores— al grado de grabarse más tarde en las baldosas los recuerdos conservados en su mente.

Se tuvo así la certeza de que había sido la mujer de Juan Pereira quien había producido, de manera inconsciente, los dibujos de Bélmez. Pese a ello, quienes esto creían tuvieron que rectificar años más tarde, cuando se dio a conocer una inquietante noticia, que referiremos de inmediato, en beneficio de las personas que jamás tuvieron ocasión de conocerla.

En un artículo publicado por el periódico norteamericano *National Enquirer*, que se dedica lo mismo a inventar intrigas que a echar por tierra las historias que no le agradan —tal vez porque no sucedieron en tierras del tío Sam—, Edward B. Camlin afirmaba que el caso Bélmez fue un fraude y que las caras fueron pintadas por un joven de veinticinco años, de nombre Jesús Rodríguez, amigo de la familia. Había echado mano de unos trucos fotográficos para divertirse al contemplar la expresión de desconcierto que pondrían sus vecinos. Los dibujos habían sido copiados de un libro y trasladados al suelo utilizando ciertos productos químicos y una lámpara de rayos ultravioletas. Añadió el joven bromista que sólo al cabo de varios días serían visibles los rostros, gracias al tratamiento especial que les dio.

Tal vez más difícil de explicar sea lo sucedido la noche del 25 de mayo de 1973 en casa del señor Everett Foster, que vivía en Cedar Hill, en el estado de Texas. Se había acostado, cuando le pareció ver unos rostros en la pared de enfrente. Despertó a su mujer, que dormía apaciblemente desde hacía rato, una vez terminó la película del HBO, para que viera lo mismo que él.

Coincidieron ambos en que había dos rostros femeninos de cabellos oscuros, a ambos lados de la cabeza de un hombre, además de un perro y de un mapache que se transformó de repente en cerdo. A la izquierda del grupo vio el matrimonio un coche de carreras, con

En el caso Bélmez, las caras aparecían junto al fogón, siempre en el mismo lugar, aunque éste fuese picado y cubierto de nuevo con cemento. No obstante, Edward B. Camlin declaraba fraudulentos los hechos, aduciendo que las caras habían sido pintadas por un joven amigo de la familia mediante la aplicación de trucos fotográficos.

todo y su conductor, y a la derecha nada menos que una nave espacial. A esto habría que añadir un extraño texto que ninguno de los dos cónyuges fue capaz de descifrar. Se ignora si Jesús Rodríguez viajó hasta Texas en aquellos días.

Las figuras parecieron moverse y la nave espacial se desvaneció lentamente, dejando una estela de humo. Los Foster contemplaron la aparición durante casi una hora, como si estuviesen viendo una película de aventuras, sin sentir el menor temor. Sólo curiosidad. Finalmente, se desvanecieron las figuras y no regresaron nunca más. El día siguiente, informaron a la prensa de lo sucedido, y la prensa fue tan amable de no decir si la inteligencia del señor Foster era inferior a la media, como le había sucedido a María Gómez.

ALGUNOS FRAUDES Y ERRORES DE LA CIENCIA

En ciertas ocasiones, algunos científicos desaprensivos cometen errores y fraudes con ánimo de llamar la atención y obtener el reconocimiento general de la sociedad cuando su obra pasó desapercibida. Sólo después de muchos años viene a descubrirse que el error fue involuntario o que el fraude fue descarado. Pero veamos algunos casos ocurridos en tiempos pasados.

A veces se cometieron con mala fe

El fraude científico no es nuevo. De treinta y una observaciones atribuidas a sí mismo por el propio Claudio Ptolomeo en Alejandría el siglo II d.C., veintiséis resultaron falsas. Galileo confesaba no haber llevado a cabo jamás algunas de las experiencias que había descrito. Isaac Newton acomodó los resultados de algunos experimentos a las hipótesis que pretendía demostrar. El monje Juan Gregorio Mendel, quien formuló antes que nadie las leyes de la herencia genética, arregló algunos datos obtenidos en apoyo de su teoría sobre la transmisión de los factores hereditarios. Robert Millikan, quien obtuvo en 1923 el premio Nobel de Física por sus trabajos sobre la carga del electrón y los rayos cósmicos, omitió considerar los resultados que se oponían a sus conclusiones.

El Dr. John Roland Darsee, investigador de la Escuela de Medicina de Harvard, publicó en sólo dos años 200 artículos que firmó en colaboración con el cardiólogo Eugene Braunweld, director de los laboratorios de investigación. El Dr. Braunweld recibió tres millones de dólares del Instituto Nacional de la Salud, que selecciona anualmente los mejores proyectos médicos. Catorce años más tarde se vino a descubrir la verdad: todos los proyectos eran una farsa.

La doctora. Helena Wachslicht-Rodbard realizó una investigación sobre las moléculas de insulina y su relación con las células sanguíneas de los diabéticos. Sometió su trabajo al *New England Journal of Medicine*, de donde pasó a manos de un experto. Era éste el Dr. Philip Felig, jefe de investigaciones

en endocrinología de la universidad de Yale. Como no disponía de tiempo para leer el trabajo, se lo pasó a su ayudante Vijay R. Soman, quien sacó copia y devolvió el original diciendo que no servía para nada. Un mes más tarde terminó de escribir un artículo que era un plagio del que leyó y se lo envió al *American Journal of Medicine*. Su director, el Dr. J. Roth, sabedor de que la Dra. Wachslicht-Rodbard se interesaba en el tema, se lo entregó para su lectura y su opinión. También en esta ocasión salió a la luz la verdad.

Robert J. Gullis estuvo investigando, en 1976, en el Instituto Max Planck de Bioquímica, en Alemania, sobre las propiedades especiales de las células neuroblastomas y las células híbridas. Sus conclusiones fueron publicadas en la revista británica *Nature*. En septiembre del mismo año abandonó el

Instituto. Sus colegas intentaron repetir sus experiencias, pero terminaron en fracaso. Pidieron entonces a Gullis que regresara para realizarlas de nuevo, en su presencia, pero el científico se negó. Declaró que no lo haría, por una sencilla razón: había inventado los resultados.

El fraude del manuscrito y otros casos

El llamado manuscrito Vellum, de 204 hojas, redactado en un código que confundió a los criptógrafos a lo largo de cuatro siglos, fue largo tiempo atribuido a Roger Bacon, un fraile franciscano inglés del siglo XIII. Fue un gran filósofo y alquimista, a quien se atribuye la invención de la pólvora. En sus tiempos fue famoso por sus poderes misteriosos. Se creía que el manuscrito escrito por él

No existe la menor duda en cuanto a que Galileo fue un auténtico genio, pero sucedió con él lo mismo que con Isaac Newton: sus enemigos acusaron a ambos de haber hecho trampa en alguna ocasión y de haber presentado como fruto de su imaginación lo que fue en realidad una vil copia.

contenía el secreto de la vida eterna, tan buscado por los alquimistas medievales.

El manuscrito, cuyas hojas estaban cubiertas de una escritura horizontal, ilustrado con diagramas de plantas de colores, estrellas y hasta de mujeres desnudas, parece haber sido utilizado como tratado de magia o astrología. No había duda de que se trataba de una obra única, que valía su peso en oro.

Pero en mayo de 1975 vino a descubrirse que el manuscrito era falso. Se ocupó de dar a conocer el fraude el investigador Robert Braumbaugh, profesor de historia medieval, quien declaró lo siguiente: el autor del manuscrito fue un charlatán que se hizo pasar por Roger Bacon. Descubrió el fraude al darse cuenta de que, entre los dibujos que adornaban el manuscrito, había errores cronológicos como un sombrero florentino, la carátula de un reloj del siglo XVI y un girasol, planta que sería conocida en Europa después del descubrimiento de América.

De todas maneras, explicó finalmente Braumbaugh, había logrado descifrar la clave del manuscrito, verdadero desafío para los criptógrafos, y pronto estaría en condiciones de traducirlo. Sin embargo, en 1990 no lograba culminar todavía la tarea. La pregunta podría ser ahora, después de conocer lo anterior: ¿quién de los dos fue el verdadero farsante?

Otro documento famoso, más conocido que el anterior, iba a resultar un fraude, según pudo comprobarse. Se trata del llamado mapa de Vinland. En 1965, la universidad de Yale había adquirido en un millón de dólares —algunos dicen que de un donante anónimo— el mapa en cuestión, que mostraba la región de Vinland, donde se decía que desembarcaron a fines del siglo X los primeros vikingos, así como las costas de Irlanda, Inglaterra, Islandia y Groenlandia, con un texto en latín.

El inglés Roger Bacon fue tan grande que podría aceptarse cualquier crítica a su obra y seguir siendo un sabio importante, digno de ocupar el lugar de privilegio que ostenta. Entre las críticas que se le han hecho se encuentra el plagio de la fórmula de la pólvora, hallada en un viejo texto árabe. Pero es preciso concederle el mérito de haberse fijado en ella.

Decía éste que Bjorn Herjolfsson y Leif Ericsson llegaron a estas tierras que llamaron Vinland. El mapa era auténtico, en opinión de Thomas E. Marston, profesor de literatura medieval, y de dos colegas del Museo Británico. Habría sido dibujado por un fraile suizo —algunos decían que sueco— en el siglo XV.

Pero en 1974, un experto en microscopia, el Dr. Walter McCrone —el mismo que intervino en el sudario de Turín—, fue contratado por Yale para examinar al mapa. Había algunas dudas en cuanto a que fuera genuino. Declaró McCrone que era falso: la tinta contenía partículas de dióxido de titanio, pigmento inventado hacia el año 1917. Pese a ello, científicos de la universidad de California en Davis declararon de inmediato que no hubo tal fraude y que la tinta era auténtica y sumamente antigua.

El jogging, una amenaza a la salud

Se ignora quién fue el inventor de las grandes ventajas que proporciona a la gente correr por las mañanas por un parque o las calles hasta casi reventar, pero es de suponer que fue un enemigo del género humano. No dijo varias cosas en contra de esta práctica, como pudiera ser que no existe nada peor que correr cuando hace frío y se produce la famosa inversión térmica. La polución de una ciudad desciende entonces al nivel del suelo y crea daños terribles en los pulmones, en el sistema cardiovascular, así como de los aspirantes a atletas.

Hay en el mundo millones de personas —sólo en Estados Unidos superan los cuarenta— que corren a diario por parques y avenidas arboladas de las ciudades. Y no falta mes en que no se organicen más y más maratones, a los que acuden decenas de miles de deportistas aficionados que aspiran a morir jóvenes. No hay ciudad importante en el mundo que no se ufane de tener su propio maratón dotado con fabulosos premios, como Tokio, Boston, París, México, Amsterdam y Nueva York, entre otras.

Este fenómeno del jogging ha sido analizado por los sociólogos y los psiquiatras y también por los médicos y los biólogos. Afirman todos que las carreras suelen realizarse de manera

desordenada y llegan a convertirse en una enfermedad para unos y en hábito para otros, semejante al de las drogas. La tasa de anorexia nerviosa, hasta ahora un mal nada común, ha surgido a partir del momento que se puso de moda correr y se ha convertido en un problema de salud en los países donde los seres humanos quieren ir siempre más aprisa.

Los corredores llegan a estar muy pendientes de sus condiciones físicas y tratan de quemar grasas, de mantenerse delgados. Hay un gran número de

Es frecuente ver por las calles a ejecutivos, hombres y mujeres, que, engullen un triste bocadillo.
Imposición de esta sociedad moderna a la que, en parte, se atribuye el aumento de los casos de anorexia nerviosa.

personas que comenzaron a correr cercanos ya a los cuarenta años de edad, en contra del consejo médico. La necesidad de correr puede con ellos más que el sentido común y la carrera se convierte en un rito que no puede ser abandonado. Todo se hace para verse esbeltos al mirarse en el espejo.

Están obsesionados los corredores. Llegan a alcanzar una anorexia absoluta —o falta anormal de apetito—, y en las mujeres este inconveniente se ve agravado con la amenorrea, o pérdida anormal de las reglas. Se vuelven unos

introvertidos con una clara tendencia a aislarse de los demás. Correr solos conduce a la depresión, a la pérdida del instinto social, a la falta de capacidad para sentir emociones.

Mucha gente corre para liberar la energía del *stress*, y si no lo logra se convierte su comportamiento en fuente de frustraciones que conducen a la depresión. De acuerdo con los neurobiólogos, el esfuerzo físico intenso provoca estados agudos de euforia y quienes los sufren creen que podrían seguir corriendo eternamente.

En las carreras de fondo, las células nerviosas secretan endorfina, semejante a la morfina, que disminuye el nivel de conciencia. Se ignora si el corredor griego que en el año 490 a.C. corrió a anunciar desde Maratón a Atenas la noticia del triunfo sobre los persas era

En todo el mundo se han puesto de moda las carreras de maratón y es muy probable que muy pocos conozcan el resultado fatal obtenido por el griego que corrió más de 42 kilómetros para anunciar en Atenas la victoria sobre los persas. Aquel hombre corrió por necesidad, pero los actuales maratonistas, que lo hacen en ciertos casos para mantenerse delgados, ignoran que se exponen a sufrir la misma suerte del griego.

un anoréxico. Llegado a la meta, es posible que se negara a comer o a beber, porque no tenía hambre ni sed. Y eso fue lo que le mató.

En resumidas cuentas, los corredores se convierten en estupendos clientes para médicos y psiquiatras. Sufren arritmias cardíacas, insuficiencias coronarias, desviaciones vertebrales, desgarre de ligamentos. En especial, provocan serios problemas las carreras extremadamente largas, como las de 100 kilómetros y más. Se arriesgan a deshidratarse, por lo que deberían compensar a cada instante la pérdida de sodio, potasio y cloro, necesarios para el buen funcionamiento de su organismo. Quiere esto decir que hablar de la bondad del *jogging* es otro más de los muchos fraudes que acosan al ser humano.

El espinoso asunto del plomo

Si correr en exceso es nefasto, ¿qué podría decirse del plomo, que nos amenaza a todas horas a pesar de que jamás lo absorbemos por placer? No sólo puede intoxicarse el organismo con plomo, por aspirar el humo de escape de los automóviles que trabajan con gasolina conteniendo ese metal. Será interesante conocer una curiosa teoría sobre el ocaso de Roma, que pudo haber sido debido al plomo, y sobre los peligros que acechan a los pintores, buenos y malos, por culpa de la calidad de los materiales que utilizan.

En 1965 se dijo por primera vez que el envenenamiento por plomo pudo haber sido factor determinante en la decadencia de Roma; se utilizaban vasijas de vino para conservarlo, porque decían que le daba mejor sabor. Y en septiembre de 1987, John Emsley escribió en la revista inglesa *New Scientist* que pudo haber sido tambien responsable de grandes reveses sufridos por el imperio británico. El plomo debió afectar a las clases dirigentes, donde hubo una gran incidencia de gota, resultante del exceso de carne pero más por el plomo, que lastimaba a los riñones y al cerebro. En 1767, el médico George Baker había demostrado ya que el plomo provocaba el llamado cólico devónico, del que resultaban parálisis, ceguera y a veces locura y la muerte. Añadió que la locura sufrida por el rey Jorge III pudo haber sido causada por el plomo.

En cuanto a la pintura, se dirá que Velázquez, Rembrandt, Renoir, Rubens, Dufy, Klee y Goya utilizaron colores vivos en sus cuadros, elaborados a base de metales pesados, todos tóxicos. Casi todos sufrieron el mismo mal y murieron a la misma edad de artritis reumatoide en su mayoría y esclerodermatosis en el caso de Klee. La revista médica británica *The Lancet* publicó a mediados de 1988 un artículo de dos investigadores que sugerían una causa de esos males: intoxicación con sulfuros de mercurio, cadmio y arsénico, así como con plomo, estaño, antimonio y cromo, que son la base de los colores brillantes.

No fueron estos pintores los únicos que utilizaron pinturas brillantes y que murieron a edad temprana o sufrieron males inexplicables. En especial si co-

Muchos pintores famosos, Rubens entre ellos, estaban sometidos a los efectos de los tóxicos metales pesados que componían las pinturas de colores vivos.

mieron alimentos que dejaron cerca de las pinturas o si no tuvieron tiempo de lavarse las manos. Los pigmentos pudieron penetrar en la sangre a través de la piel, en cantidades infinitesimales pero durante largo tiempo.

Los pintores que vivieron más años, como El Greco, ¿fue porque utilizaron colores apagados, a base de óxidos de hierro y compuestos carbonados?

LOS MITOS DEL FIN DEL MUNDO

LOS PROFETAS NO SIEMPRE SON CONFIABLES

El 3 de abril de 1843 se congregó una multitud aterrorizada en las colinas de la Nueva Inglaterra. Cierto William Miller, antiguo librepensador converti-do en ferviente creyente, había anun-ciado el fin del mundo para aquel preci-so día. La masa apretujada esperaba temblorosa el momento en que los án-geles del Señor descendieran del cielo para llevarse a los presentes a la Gloria. Pero nada sucedió.

Pese a no haber Juicio Final para nadie, ni uno solo de los espectadores perdió la fe en el hombre que había anunciado sin éxito el arribo de tan importantes emisarios celestiales. Pensaron que cualquiera puede equi-vocarse.

Resulta sencillo inventar profecías

Todo comenzó unos años atrás, cuando Miller se sintió de repente iluminado y se dedicó a la lectura de las Sagradas Escrituras, en sus ratos libres. Analizó los textos bíblicos, en especial el Libro de Daniel y el Apocalipsis, y en 1831 su pasión por la Biblia se tradujo en una primera profecía. Se convirtió en predi-cador sin título —había muchos como él en su tierra— y se dispuso a viajar por las regiones del este, donde había menos salvajes que en el oeste, listo para ganar miles de adeptos. Sus pavo-rosas predicciones causaron asombro y temor entre los seguidores, puesto que coincidieron, en 1833, con una oportu-na lluvia de estrellas y la aparición de extraños halos en torno al Sol. Culmi-naría la serie de fenómenos, el año siguiente, con la llegada del cometa Halley. Era suficiente para estremecer a las mentes más firmes.

El *New York Herald* supo de este sujeto y no vaciló, para aumentar su

La visión de Miguel Ángel del Juicio Final es sumamente dramática, pero no resulta tan espeluznante como la ofrecida por los muchos profetas amigos del tremendismo que parecen disfrutar prometiendo los peores sufrimientos a quienes siguen escuchándolos.

circulación, en dar a conocer al público la más pavorosa de las profecías lanza-das en aquellos días por el predicador: el mundo llegaría a su fin el 3 de abril de 1843. Algunos fanáticos mataron a sus familiares, para que no sufrieran con el cataclismo, y se quitaron la vida des-pués. Estaban seguros de que las puer-tas del Cielo se les abrirían a ellos antes que a quienes cometieron el error de mostrarse escépticos. Y como nada su-cediera ese 3 de abril, el reverendo Miller trasladó la fecha fatídica al 7 de julio. Muchas personas pasaron la vís-pera en los templos y panteones, rezan-do en espera del final. Por fortuna, era verano.

Visto que nada sucedió, el reveren-do fijó otra fecha: el 21 de marzo del siguiente año. Sus seguidores siguie-ron confiando en él. Como tampoco nada pasó en aquel primer día de pri-mavera, decidió el tenaz profeta que el único Día del Juicio, el verdadero, sería, ahora sí, el 22 de octubre. Pero muchos fieles comenzaban a dudar del tino de su jefe. El mundo seguía dando vueltas y todo parecía indicar una de estas dos cosas: mister Miller era un pobre estú-pido o había querido burlarse de los ingenuos paisanos suyos.

No sólo en el siglo XIX y en los anteriores han vivido individuos que trataron de predecir, a veces de manera harto burda, el fin de la humanidad. En los últimos años ha sido práctica muy común profetizar cataclismos de todo género —tal vez porque nos acercamos al siglo XXI— y lo más curioso es que han hallado eco en un importante sec-tor de la población. En realidad, hacer predicciones es de lo más fácil, y jamás podrá acusarse a un profeta de farsante mientras no se cumpla el plazo para que suceda su profecía catastrófica. Y como los augurios suelen ser tremen-dos, la gente se regocija cuando el vati-cinio deja de producirse. Nunca se le ocurre censurar a sus autores.

dad de este cometa es de 121 años
medio, así como la del Halley es de 7
años. Nada malo sucedió las dos últi-
mas veces que se han aproximado ambos a nuestro planeta, ni tampoco con e
Kohoutek, que iba a destruirnos a todos, en opinión de los entendidos. Per
quién sabe qué sucederá la próxima ve.
que ocurra.

Por si esto fuera poco, el antropólog
Jeff Wilkerson, del Museo estatal d
Florida, en Gainesville, declaró a comienzos de 1978 que el fin del mund
tendría lugar en marzo de 1989. S
iniciaría con una serie de terremotos y
erupciones volcánicas que estremece-
rían al planeta. Para realizar su predicción, este sabio se basó en la astrología
azteca y en sus dos calendarios, que
coinciden cada 52 años. Dijo que en
1987 se iniciaría el siguiente periodo
sagrado, pero que el verdadero desastre comenzaría a partir de 1989, cuando
una triple conjunción de los planetas
Urano, Júpiter y Saturno crearía una
difícil y grave situación. Ya hemos visto
que don Jeff no supo acertar en sus
terroríficos vaticinios.

Profetas malos y presagios todavía peores

En Estados Unidos se ha puesto de
moda, en los últimos tiempos, lanzar
predicciones catastróficas, que nunca
dan en el blanco. El clarividente Alan
Vaughan, que se hizo millonario diciendo a las estrellas de Hollywood lo que
ellas deseaban escuchar, declaró en
1970 que, en 1980, la ciudad de Nueva
York sería inundada y desaparecería
para siempre. No era el primero que
afirmaba tal cosa. En 1940, Edgar
Cayce —a quien se regresará en otro
momento— había afirmado ya que la
gran urbe sería devorada por el mar, a
fines de este siglo.

Falló también cierto profeta de
nombre Martin Chiswell, al afirmar en
1969 que Nueva York se hundiría, definitivamente, en 1980. Este mismo individuo añadió que el fin del mundo tendría lugar el 18 de agosto de 1999. La
Tierra abandonará su órbita, por culpa
de un arcoiris —¿que diablos quería
decir con esto?— y se trasladará hacia
el Sol. Se salvarán solamente los
astronautas que anden por ahí, dando
vueltas. Pero no sabrán a donde ir a
aterrizar.

A veces, y aunque parezca difícil de
aceptar, también los científicos contemporáneos han querido hacer funestos presagios sobre el futuro de la
humanidad. Así, el astrónomo norteamericano John Bortle anunció, en
1982, el fin del mundo para el siguiente
año. Lo ocasionaría el arribo del cometa
Swift-Tuttle, descubierto en 1862, que
tropezaría contra la Tierra y sería causa de gigantescas mareas. La periodici-

Si a pesar de no cumplirse la anterior profecía de Martin Chiswell, se cumpliese la vaticinada para el 18 de agosto de 1999, éste podría ser uno de los astronautas que seguirían con vida, aunque no supiese donde aterrizar.

Richard W. Noone, autor de un libro sobre el fin del mundo publicado en 1986, decía lo siguiente: en el 4000 a.C. se produjo un cataclismo a nivel mundial, del que hablaron a Solón los sacerdotes de Saís. Añadieron estos señores que un cataclismo como aquél sucederá en el año 2000. Exactamente el 5 de mayo. También Jeanne Dixon, quien había anunciado la muerte de Kennedy, dijo cosas muy interesantes.

La ciudad de Nueva York a la que los profetas aficionados vaticinan su pronta destrucción por un terremoto y la inundación, sucesiva, se encuentra sobre una falla peligrosa, pero nadie puede predecir la fecha de esos cataclismos.

Por ejemplo, que en 1981 su país tendría como mandamás a una dama, lo cual no era ir muy desencaminada: malas lenguas decían en aquel año que quien daba las órdenes en la Casa Blanca era doña Nancy.

Añadió esta profetisa que en 1985 iba a regresar Jesucristo, coincidiendo con catástrofes tan espantosas que muchos seres humanos desearían no haber nacido. Se contarían entre ellas unas tinieblas que se abatirían sobre el planeta, a lo largo de tres días interminables. Y añadió que en 1993 estallaría una guerra nuclear insignificante, de la que la humanidad saldría purificada, lista para escuchar las palabras de un nuevo líder espiritual, creador de una nueva religión.

La Gran Pirámide y sus supuestas profecías

En el curso del siglo XIX se puso de moda, en especial entre ingleses y franceses, atribuir a la Gran Pirámide de Egipto la virtud de generar toda suerte de profecías, cuando se sabe leer el mensaje que contienen sus piedras. Se dijo entonces del colosal monumento que era una gigantesca Biblia, una especie de cronógrafo histórico donde estaban escritos, de manera difícil de descifrar, todos los acontecimientos del pasado y del futuro.

A ninguno de los profetas que quisieron inspirarse en la pirámide se le ocurrió jamás pensar que partían de algo absurdo, puesto que la Biblia no pudo servir de modelo a los arquitectos del conjunto formado por dos millones y medio de bloques de piedra, por esta sencilla razón: la Gran Pirámide fue construida un par de miles de años, o acaso más, antes que el texto sagrado fuera comenzado a ser redactado en Babilonia, cuando los judíos lloraban el cautiverio.

Pese a ello, esos profetas del siglo pasado no vacilaron en identificar ciertas medidas del monumento con algunas fechas que ni siquiera eran conocidas con exactitud. Así, se dijo que la longitud de la Gran Galería coincidía con el número de años que mediaban entre la muerte de Moisés y el nacimiento de Cristo. El escocés Robert Menzies declaró en 1865 que esa longitud de la Gran Galería representaba también al futuro de la humanidad y que el resto de los pasajes y cámaras formaban una cronología susceptible de ser descifrada por expertos como él. Descubrió la fecha en que estallarían un par de guerras y sucederían diversos cataclismos. Añadió —ningún profeta que se precie de serlo se abstendrá de hacerlo— que Jesucristo regresaría en 1881 a la Tierra. No hay noticias de que este señor Menzies haya acertado en estas y otras predicciones.

Se inspiraron también en la Gran Pirámide otros visionarios: el también escocés Charles Piazzi Smith, quien había calculado el valor del codo piramidal —que no logró coincidir con el hallado por sus colegas, como es la norma—, además de Edgar Morton, David Davidson, el astrólogo francés Georges Barbarin, su paisano el abate Th. Moreux y otros aficionados a la piramidología de que los que no valdrá la pena hablar, como no sea para burlarse de ellos. Uno de aquellos expertos, Davidson, había anunciado para 1936 el arribo del Mesías, así como el fin del mundo para 1953, basándose también en las piedras de la Gran Pirámide. No se tiene conocimiento de que hubiera acertado.

Ahora bien, si tantas profecías se han producido en el pasado y el presente, sobre el inminente fin del mundo, basadas en su mayoría en los textos bíblicos, ¿es que la Biblia posee en sus páginas un auténtico espíritu profético?

LAS PROFECÍAS PRESENTES EN LA BIBLIA

Se suele considerar a la Biblia el libro de las profecías por excelencia. Son tan dramáticas algunas como difíciles de interpretar y aparecen a partir del Pentateuco, o Cinco Libros de Moisés, hasta llegar al famoso Apocalipsis de San Juan, último libro del Nuevo Testamento.

Oscuras y sujetas a muy diversas maneras de comprenderlas, han sido tergiversadas con frecuencia por los exégetas y estudiosos en general, seguros de haber aclarado su oculto significado. Casi todos han insistido en vislumbrar en ellas lo que el futuro reserva a la humanidad.

Los cuatro profetas mayores

Se ha dicho que los profetas bíblicos fueron hombres muy sabios, que no hablaban ni escribían por sí solos, sino que reproducían las palabras que les habían dirigido unas voces misteriosas que procedían de las alturas celestiales. Se caracterizaban estas palabras, o profecías, por un intenso dramatismo,

Radiante, cargando la pesada Tabla de la Ley con su brazo derecho aun cuando debía pesar lo suyo, así veía Gustavo Doré a Moisés, quien jamás sintió la menor simpatía por profetas, brujos y pitonisas. Esto no fue obstáculo para que a su supuesto hermano Aarón le agradasen los trucos de magia y que su supuesta hermana Miriam gustase de lanzar profecías a todas horas.

y en muy escasas ocasiones tuvieron algo que ver con el género de predicciones realizadas por los profesionales que aparecerían en el mundo mucho tiempo después.

Menciona el Antiguo Testamento a cuatro profetas que se distinguieron de los demás por su acentuado pesimismo, razón por las cuales se les llamó profetas mayores. Fueron Isaías, Jeremías, Ezequiel y Daniel, así como hubo doce profetas menores: Oseas, Joel, Amós, Abdías, Jonás, Miqueas, Nahum, Habacuc, Sofonías, Hageo, Zacarías y Malaquías, autor cada uno del libro contenido en la Biblia que lleva su nombre. Valdrá la pena conocer algunas de sus profecías. Las otras sólo son interesantes si se quieren conocer la vida y costumbres de la época.

Los capítulos 23 y 24 del libro de Isaías, en especial ese último, anuncian un sinfín de calamidades, que se abatirán sobre el sufrido pueblo elegido y sobre la Tierra entera. Se indica que será saqueada, sin decir por quién, y que enfermarán los hombres y las mujeres. Se contaminará la tierra, porque sus habitantes falsearán el derecho y quebrantarán el pacto. Enfermará la vid y gemirán los que habían sido alegres de corazón. Y el que huya del temor será preso en la red y temblarán los cimientos de la Tierra, que se desmenuzará. Jehová castigará entonces a los reyes de la tierra, por su iniquidad, y los amontonará en mazmorras. Entre las calamidades relativas a los terremotos destacan los versículos 19 y 20 del capítulo 20, que dicen así:

«En gran manera será la tierra estremecida y temblará la tierra como un ebrio.»

El libro de Jeremías supera al otro en visiones pesimistas, tan difíciles de descifrar como las de Isaías. Tan terribles iban a ser que, con justa razón, se convertiría el nombre de Jeremías en sinónimo de desventuras y lágrimas. Explica el libro que, por culpa de la impiedad de los judíos, el rey Nabucodonosor de Babilonia invadiría Jerusalén y Judá y se llevaría cautivos a sus habitantes.

El tercero de los profetas mayores fue Ezequiel, a quien los aficionados al fenómeno OVNI conocen bien: le atribuyen, en el primer capítulo de su libro, la descripción de un helicóptero extraterrestre que se presentó ante el profe-

Cuando el profeta Ezequiel habló de «un gran temblor», no hay duda de que se refería a un terremoto devastador. Y terremotos de enorme intensidad los ha habido en el pasado en el Cercano Oriente y también en los tiempos modernos, algunos tan destructivos como los de Irán y éste sucedido en Turquía en fecha reciente.

ta cuando se encontraba a orillas del río Qubar. Los capítulos 36 al 38 ofrecen diversas predicciones pavorosas sobre el futuro de Israel. En especial merecen ser citadas las que aluden al arribo de Gog a la tierra: «Habrá gran temblor, se desmoronarán los montes y caerán por tierra los muros.» Los judíos, según se ve, habían tenido oportunidad de presenciar más de un terremoto y sufrir sus consecuencias.

Los capítulos 11 y 12 del libro de Daniel anuncian a los cuatro soberanos que reinarán en Persia, el último de los cuales levantaría al mundo contra Grecia. Vendrían seguidos por un rey del Sur —sin duda un faraón egipcio—, que lucharía contra el rey del

norte. Se anunciaría entonces el tiempo del fin, cuando «muchos que duermen serán despertados, unos para la vida eterna y otros para vergüenza y confusión eternas».

¿Cuándo sucedería esta catástrofe Cuando hubiera transcurrido el tiempo, los tiempos y la mitad de un tiempo, lapso que ninguno de los eruditos que han estudiado el pasaje ha logrado explicar, y no se sabe si corresponde a una fecha concreta o si se deseaba expresar un periodo sumamente largo. Algo parece aclarar el profeta Daniel al decir que, una vez llegada a su fin la dispersión del poder del pueblo elegido, se cumplirán estas cosas. Añade el texto que, a partir del momento en que des-

aparezca el sacrificio hasta la abominación desoladora transcurrirán 1.290 días, lo cual no es mucho aclarar. Y menos claro resulta el pasaje siguiente: será bienaventurado el que sepa esperar y llegue a 1.335 días.

La Diáspora y el fin del mundo

¿Se inspiró más tarde el Apocalipsis, en estos pasajes de difícil comprensión, en el Libro de Daniel? Aquellos que aluden a los días parecen imposibles de descifrar, pues se ignora si el profeta quiso decir años en lugar de días, pero no puede decirse lo mismo de la frase que alude a la dispersión del pueblo elegido. (Daniel 12, 27). Sin darle su nombre, habla de la Diáspora, cuando el pueblo judío hubo de abandonar su patria y dispersarse por el mundo.

La profecía de Daniel sería más tarde retomada en los tiempos de Hitler. Los numerosos mistagogos que rodeaban al supersticioso Führer se inspiraron en ella para tratar de cambiar la marcha de los acontecimientos. Y concedieron un papel primordial a los judíos y a la Diáspora. Si nos aproximamos al texto bíblico podrá explicarse en parte la causa del odio antisemita. Según los nazis, el Antiguo Testamento contiene diversas señales anunciadoras de la catástrofe final.

Algunas parece ser que se cumplieron ya y otras comienzan a manifestarse. La primera de ellas se basaba en una antigua profecía judía sobre «la cabeza y la cola de la serpiente, que se juntarán para indicar el principio del fin». Esta profecía parecía referirse al final de la Diáspora, al momento en que los judíos regresarían por fin a la patria perdida, que debieron abandonar desde los tiempos de Nabucodonosor.

Al crearse, en 1948, el estado de Israel, la humanidad entró en el periodo postrero del actual ciclo, anunciado en el Apocalipsis. Otro signo parecía referirse al papado, que sufrió serios reveses en los últimos años. La muerte dramática de Juan XXIII, el fin tan discutible de Juan Pablo I, el cisma organizado por el rebelde Lefebvre, el alejamiento de la religión por parte de los jóvenes, el descenso de la vocación

En una aldea miserable de Egipto debió nacer ya, según afirmaba la pitonisa norteamericana Jeanne Dixon, el profeta de la nueva religión que se impondrá a comienzos del siglo XXI. Añadía la Dixon que será descendiente de Akhenaton, lo cual es imposible: este faraón creador de una reforma religiosa monoteísta sufría un mal degenerativo que lo imposibilitaba para ser padre de nadie.

sacerdotal en el mundo católico, fueron duros golpes asestados a la Iglesia.

Añádase a esto el incremento de la criminalidad y del consumo de drogas, de las guerras, de las acciones violentas, de la aparición del SIDA. No existe en la actualidad ningún país que se vea libre de estos azotes. Otro signo apocalíptico se refería a la vanidad de los hombres, que pretenden igualarse a Dios, de cuya existencia incluso se atreven a dudar. Afirman que ha muerto.

También los terremotos, las erupciones volcánicas y otros desastres naturales deberían figurar entre las señales anunciadoras del fin, afirman los que han querido interpretar el texto bíblico. Unicamente falta una señal, dicen: el arribo del Anticristo, coincidiendo con el paso de la era de Piscis a la de Acuario. Nada se sabe con certeza acerca de ese Anticristo, ni dónde se encuentra ni si ya nació.

Según Jeanne Dixon, la pitonisa antes mencionada, el personaje nació ya, el 5 de febrero de 1962, en una miserable aldea egipcia, bajo el signo de Acuario como tantos jefes de Estado y líderes destacados. Reunirá adeptos a partir de 1990 y en 1999 se convertirá en profeta de una nueva religión que desplazará, definitivamente, al cristianismo.

Unas palabras sobre los profetas menores

Muy escasa importancia ofrecen, desde el punto de vista que nos interesa, los doce profetas menores. Sólo se salvan algunos versículos del Libro de Joel sobre el día de tinieblas, que está cercano; la ira de Jehová, en el Sofonías, que se traducirá en muerte y destrucción, así como una pequeña parte del capítulo 14 de Zacarías, que describe lo que pudiera ser un maremoto.

En cuanto al Libro de Malaquías, con el que se cierra el Antiguo Testamento, se dirá lo siguiente: no debe ser confundido con el del arzobispo del mismo nombre que vivió en Armagh, antigua capital de Irlanda. Este Malaquías moderno (1094-1148) se haría famoso por sus profecías sobre los papas. Citaba en ellas el nombre de cada uno de los pontífices que regirían el mundo católico desde 1143 hasta el año 2013. Será en ese año que llegará a

su fin, irremediablemente, la serie de papas iniciada con San Pedro.

Pero también el Nuevo Testamento contiene lo que pudiera considerarse como impresionantes presagios del fin del mundo. Gran parte del capítulo 24 del Evangelio de San Mateo no sólo describe guerras y desolación, sino que anuncia la venida del Hijo del Hombre para salvar al género humano. Es una luz de esperanza que pretende disipar las tinieblas del desastre. El panorama pretende repetirse, brevemente, en el Evangelio de San Lucas, en la primera epístola de San Pablo a los tesalios y en la segunda epístola de San Pedro. Y es precisamente en el versículo 11 del capítulo 21 de San Lucas que se lee lo siguiente:

«Y habrá grandes terremotos, y en diferentes lugares hambre y pestilencia y habrá terror y grandes señales del cielo.»

¿Tratan del fin de la humanidad, en la totalidad de la Tierra, estas notables profecías, o del limitado mundo conocido por los judíos en la antigüedad? ¿Utilizaron un estilo confuso, con toda intención con objeto de atemorizar a sus contemporáneos y conducirlos con mayor facilidad por la senda del bien?

Sin embargo, y pese a los horrores vertidos por los dieciséis profetas judíos, es sin duda el Apocalipsis de San Juan el que mayores comentarios ha suscitado en todos los tiempos, por su intenso dramatismo profético.

El Apocalipsis de San Juan

Sus predicciones sobre el fin del mundo han influido, más que ningún texto antiguo, en el mundo cristiano y en los malos profetas que han proliferado en el mundo a lo largo de los siglos. Está formado el Apocalipsis por 22 capítulos, distribuidos a lo largo de otras tantas páginas, y fueron escritos a modo de severas advertencias, de acuerdo con la revelación hecha por Jesucristo a su siervo Juan, a través de un ángel.

Resulta que, según el Apocalipsis, encontrándose Juan en la isla griega de Patmos, escuchó una voz que le ordenó escribir lo que iba a presenciar, para que lo diera a conocer más tarde a las siete iglesias que había en Asia Menor: Éfeso, Esmirna, Pérgamo, Tiatira, Sardis, Filadelfia y Laodicea. Miró entonces Juan hacia el lugar que le indica-

No se sabe si las profecías que anuncian el fin de la humanidad estaban sólo destinadas a la población del momento en que fueron hechas o abarcaban a la de todo el mundo, así como también se desconoce si tenían por objeto encauzar a los pueblos de entonces por la buena senda. Sea como fuere, todas las calamidades anunciadas son terribles, desde las plagas hasta la hambruna.

ba la voz y contempló el más extraordinario de los espectáculos.

Vio siete candelabros de oro, en medio de los cuales se encontraba un ser semejante al Hijo del Hombre, que sostenía siete estrellas en su diestra. En el cuarto capítulo aparecía un libro con siete sellos, que nadie era digno de abrir, ni tampoco de mirar. Un cordero con siete cuernos y siete ojos sería el único que pudo coger el libro y abrirlo. Los ancianos que se encontraban en el lugar se postraron, junto con Juan, al abrir el cordero el primer sello. Y es a partir de entonces que da comienzo la parte profética del Apocalipsis de San Juan.

Salió un caballo con un jinete portando un arco. Del segundo sello apareció otro caballo que eliminó la paz en la Tierra y dejó que los hombres se ma-

tasen entre sí. El tercer caballo era negro y su jinete sostenía una balanza. El cuarto era cabalgado por la propia Muerte, que debería acabar con la cuarta parte de la humanidad y sembrar el hambre por doquier.

Al abrir el cordero el quinto sello, vio Juan las almas de quienes murieron por culpa de una palabra de Dios y esperaron ser juzgados por ello. Hubo un gran terremoto, al abrirse el sexto sello, y el Sol se tornó negro y la Luna de sangre y cayeron las estrellas del cielo, y todo el monte y toda la isla se removieron de su sitio. Todos los reyes de la Tierra, los poderosos y los siervos se refugiaron en cuevas y entre las peñas de los montes, porque había llegado el gran día de la ira divina.

Por último, al abrirse el séptimo sello, se hizo el silencio. Un ángel lanzó un incensario a la Tierra y hubo truenos y voces, relámpagos y un pavoroso terremoto. Los siete ángeles tocaron sus trompetas y cayó granizo y fuego sobre los árboles, las montañas se precipitaron al mar y la tercera parte de las aguas se convirtieron en sangre. Murió otro tanto de los seres vivientes del mar y cayó del cielo una estrella ardiente como una antorcha, sobre los ríos y las fuentes. Quedaron heridos el Sol y la Luna y las estrellas, y se oscureció el día. ¿Acaso no anuncia este

De cumplirse las predicciones sobre el fin del mundo que más influencia han ejercido en la humanidad, las contenidas en el Apocalipsis de San Juan, no habrá perspectivas de salir indemne: guerras feroces entre los hombres, terremotos de magnitudes inimaginables hambre por todas partes, un cielo sin Sol, sin Luna y sin estrellas, diluvios, mares de sangre y plagas.

pasaje del Apocalipsis el arribo de un cometa destructor, que ensombreció la luz del Sol?

Se abrió entonces un pozo en la tierra y salieron de él humo como de un gran horno y langostas grandes como caballos, de tal manera que los sobrevivientes desearon estar muertos, para no presenciar tales horrores. Se desataron varias plagas que mataron a la tercera parte de los hombres y los que sobrevivieron fueron tan insensatos que no quisieron arrepentirse de sus obras ni de sus palabras.

Después de presenciar otros espantos igualmente estremecedores, que incluyen diversos terremotos, llega el capítulo 20 de este Apocalipsis a una cita sobre los 1.000 años, cuando la serpiente símbolo de Satanás — es decir, el Anticristo — será atada por un largo lapso, para que no engañe más a las naciones, después de lo cual será desatada por un tiempo. Volverán los muertos a vivir en la primera resurrección. Y una vez en libertad, saldrá Satanás a engañar a las naciones que se encuentren en los cuatro ángulos de la Tierra, con ánimo de reunirlas para la batalla final entre ellas. Es decir, el Armagedón.

Termina el Apocalipsis, como era de suponer, con el anuncio de la inminente venida de Cristo.

NOSTRADAMUS Y EL AÑO 2000

También en Oriente surgieron curiosas profecías sobre el fin del mundo, en las que se inspirarían las que aparecieron mucho más tarde en Occidente. ¿Fue estudiando los textos sagrados orientales, en especial los de la India, que el famoso Michel de Nostradamus aprendió a redactar sus Centurias, entre las que sobresalía por su intenso dramatismo la que daba una fecha para el fin del mundo, el mes de julio de 1999? ¿En qué se basaban aquellos textos, de Nostradamus y otros profetas llegados de Asia, que prometían a la humanidad un final tan poco grato? ¿Sería porque en la antigüedad sucedieron tremendos cataclismos y se tenía la certeza de que se producen con cierta periodicidad y que habrá en el futuro catástrofes idénticas a las que devastaron antaño al planeta? ¿Poseían los astrónomos orientales, en especial los de la India, conocimiento exacto de los astros y creyeron ver en ellos el futuro del mundo?

Algunas profecías llegadas de Oriente

Beroso fue un sacerdote de Babilonia que se propuso un día abandonar esta ciudad, en el siglo III a.C., para tomar el camino de Atenas. Los griegos, ávidos siempre de absorber cualquier conocimiento venido de Asia, lo recibieron con los brazos abiertos. Este hombre, que debía sentir alguna nostalgia hacia la patria que dejó atrás, no tardó en escribir una interesante *Historia de Babilonia*. Lástima que se perdiera en gran parte, en los comienzos del cristianismo, porque los Padres de la Iglesia afirmaban que atentaba contra la religión triunfante.

Entre las cosas curiosas contadas por Beroso en su obra estaba el arribo a la vieja Sumer de Oannes, hombre con cabeza de pez que podría simbolizar a los marinos llegados a bordo de navíos de la India. Se refería también al descubrimiento realizado por los astrónomos de Babilonia después de observar el firmamento a lo largo de los siglos. Era el anuncio de una espantosa inundación, tan catastrófica, de acuerdo con los cálculos realizados, como la que ha-

Hay todavía quienes creen tan a pies juntos en Nostradamus, médico y astrólogo francés cuyas profecías le dieron fama mundial, que esperan presenciar aquellas que no se han cumplido alegando que sólo se equivocó en cuanto al tiempo en que debían ocurrir. Nostradamus fue, sin duda alguna, el profeta más leído durante el Renacimiento.

bía devastado al país del Éufrates y del Tigris. El cataclismo se repetiría cuando los planetas que se desplazan por la bóveda celeste, coincidieran formando una línea recta bajo el signo de Cáncer.

Quien sabe si los astrónomos de Babilonia estuvieron en lo cierto al vaticinar un cataclismo, pero no existe la menor duda en cuanto al que sufrió alguna vez la región fluvial donde vivían. La inundación lo cubrió todo y pudo haber dado origen al mito del diluvio universal y a otras leyendas en las que los seres humanos tuvieron que luchar contra los elementos para sobrevivir.

Una vieja leyenda recopilada por el historiador copto Masudi —miembro de una secta cristiana egipcia—, a fines del siglo IX, mencionaba a la Gran Pirámide como tabla de salvación para la humanidad. Decía que el faraón Surid —a quien los egipcios llamaron Khufu y que se convirtió en Keops a partir de la visita que hizo a Egipto el historiador griego Herodoto— ordenó

construir el gigantesco monumento por una sencilla razón: sus astrólogos le habían informado de que el mundo sufrió en el pasado severos cataclismos y que no serían los últimos. Al construir la pirámide, el faraón pensó que hallarían en ella refugio las futuras generaciones cuando sobreviniera el siguiente diluvio.

El filósofo griego Heráclito de Éfeso (576-480 a.C.) había afirmado, un milenio antes de hacerlo Masuri, que 10.800 años después de suceder aquella catátrofe, de la que tenían noticia los egipcios, sucedería otra igualmente aniquiladora. Añadió que tales desastres se producen obedeciendo a ciclos asombrosamente regulares, ordenados por la naturaleza.

Platón, quien junto con Sócrates y Aristóteles, sentó las bases de la cultura occidental, fue quien trajo de uno de sus viajes por Oriente noticias de antiguos cataclismos, entre ellos, el hundimiento de la Atlántida en el mar, aunque sin precisar si había obedecido a un fuerte seísmo, a una marejada gigantesca o a una tremenda erupción volcánica.

Historia del continente sumergido

Tal vez había llegado a oídos de Heráclito, para atreverse a afirmar cosas tan espantosas, alguna noticia procedente de la India, o acaso las palabras transmitidas por el legislador ateniense Solón (640-558 a.C.) a su amigo Drópides, a su regreso de Egipto, donde tuvo ocasión de conversar con los sacerdotes de Saís, capital administrativa del país.

Fue el filósofo Platón (428-347 a.C.) el que daría a conocer, más de dos siglos después, en el primero de sus inacabados *Diálogos*, la versión muy personal de lo que contaron los sacerdotes a Solón: «Vosotros los griegos sois jóvenes de espíritu, sin tradiciones que el tiempo haya podido encanecer. Muchos son los desastres que trastornaron antaño al mundo y que cambiaron su faz por el agua, el fuego o por otras causas. Los griegos recordáis un diluvio, pero hubo otros antes y los habrá en el futuro, por culpa de los cuales perecerá casi por entero la humanidad.»

Nada dijeron los sacerdotes de Saís sobre la fecha del próximo cataclismo, tal vez para no asustar más al ilustre visitante, pero no existe la menor duda en cuanto a lo que resultó del viaje hecho por el ateniense a la ciudad situada en el delta del Nilo: nació la historia de la Atlántida, el continente que se hundió en el mar de resultas de un pavoroso cataclismo. Pudo ser provocado por un intenso terremoto, que fue seguido de una marejada y tal vez por una erupción volcánica.

Lástima que, al dejar Platón su obra sin terminar, impidiese al mundo saber algo más de la catástrofe, de cuándo sucedió exactamente y dónde. Sin embargo, el filósofo dio a entender que el drama se produjo unos 9.000 años antes de su época. Y Heráclito había declarado que 10.800 años después de la catástrofe sucedería la siguiente. Es decir, que estaba hablando de los últimos años del presente siglo o de los primeros del próximo.

Esta fecha vendría a coincidir casi con otra originaria de la India, que figura en uno de sus textos sagrados. Se trata de las *Puranas*, o dieciocho escritos que presentan mitos cosmogónicos y tratan de la creación del mundo y de su destrucción, entre otras cosas. Las *Puranas* fueron dadas a conocer en el mundo occidental, en gran parte, por la famosa Madame Blavatsky (1831-1891). La fundadora de la teosofía se refirió, tras una larga permanencia en la India, a los ciclos de 5.000 años que siguieron a la creación del universo y dijo que un mensajero espiritual arribará al mundo al acabar el que será último ciclo, llamado *Kali Yuga*.

Gautama Buda, fundador de la doctrina que lleva su nombre, vivió en el siglo V a.C. Es decir, que fue contemporáneo de Confucio, su equivalente chino. Explica la filosofía budista, ferviente creyente en la reencarnación, que uno de los Budas de la meditación fue el místico Amoghasiddha, que reina en los cielos y que jamás descenderá a la Tierra. Pero será encarnado en la figura de Maitreya, uno de los cinco Budas humanos —los cuatro anteriores fueron Krakuchanda, Kanakamuni, Kasyapa y Sakiamuni. El arribo de este mensajero celestial tendrá lugar, según Madame Blavatsky, 2.500 años después de la muerte del Buda conocido y la tradición budista parece apoyar esta creencia. El plazo se cumplirá al finalizar el presente siglo.

Cuando llegue ese momento y el mal impere en el mundo, aparecerá Maitreya para restablecer la ley y el orden. Sucederá entonces el fin del mundo. ¿Significa esto que se extinguirá la vida en la Tierra y todo será destruido? ¿Quiere decir que ese fin dramático se refiere al modo de vivir de los seres humanos, que será sustituido por una nueva religión y nuevas costumbres que coincidirán con el paso de una Era a la siguiente, la de Acuario?

No faltan, sin embargo, los que afirman que la teósofa rusa estaba en un error. Las eras mencionadas en los textos sagrados de la India, que anuncian el fin de la humanidad al arribo del *Kali Yuga*, eran todas de 5.000 años y si se adopta para el Nirvana, o muerte y elevación de Buda, la fecha 480 a.C., significa que el arribo de Maitreya sería en el año 4520 de la era cristiana. Estos anuncios funestos, que giran en torno a cinco ciclos, parecen repetirse en diversos pueblos del continente americano.

¿Fue inspirándose en el contenido de algunos textos sagrados orientales, que tuvo ocasión de conocer durante su permanencia en Grecia, Egipto y el Cercano Oriente, cómo el francés

Aunque el budismo triunfó en la India unos siglos antes de Cristo, llegó a China mucho después, en tiempos de la dinastía Han, de donde pasó a Japón. Aquí se encuentran estatuas suyas colosales como esta de Kamakura, pero no concedieron los nipones al Gautama la importancia profética que tuvo en su país natal.

Nostradamus elaboró sus fabulosas y conocidas profecías?

Excelente médico, pero mejor profeta

Michel de Nostre-Dame, más conocido como Nostradamus, nació el 14 de agosto de 1503 en el pueblo de Saint-Remy, en la Provenza. Ejerció la profesión médica y realizó curaciones aparentemente milagrosas, o así lo consideraron sus vecinos: el ignorante ve siempre como fabuloso lo que no alcanza a comprender.

En el curso de una epidemia de peste que azotó al continente europeo, cuando no había manera de combatir al terrible mal, Nostradamus recomendaba hervir el agua antes de beberla, lo

alquimia y la astrología. ¿Poseía las facultades proféticas que la historia ha querido concederle? Tal vez sucedió así, pero además de contar con poderes paranormales prodigiosos, debió adquirir gran experiencia como psicólogo. Sólo los seres con estas cualidades pueden convertirse en buenos profetas, a diferencia de los hombres como William Miller. En 1547, cuando tenía 44 años de edad, vivía en Salon, pequeña población cercana a su pueblo natal, cuando comenzó a escribir sus singulares profecías, echando mano de un estilo críptico, difícil de entender.

Su fama no tardó en alcanzar a la corte de París, donde mandaba Enrique II con permiso de su esposa real, la italiana Catalina de Médicis, mujer supersticiosa, amiga de brujos y astrólogos. A los franceses les agradó ver que la reina se fijaba en Nostradamus porque, después de todo, era paisano. Lo preferían a cierto Cosme Ruggieri, importado de Florencia, como doña Catalina, por quien nadie excepto la buena señora sentía la menor simpatía.

Fue desplazado Ruggieri por Nostradamus, hasta que a la muerte de éste, sucedida en 1566, regresó el florentino a ocupar su lugar de privilegio cerca de la dama. Pero cometió un error, al vaticinar en 1574 algo que no agradó a la reina. Fue castigado con el destierro, pero la reina volvió a llamarlo en vista de que nadie sabía ocupar la vacante. El astrólogo había declarado a la reina que moriría en las cercanías de Saint-Germain. Suficiente para que la temerosa reina se abstuviera de aproximarse, en lo sucesivo, a ningún lugar de este nombre. Se retiró, finalmente, a su castillo de Blois.

En diciembre de 1588 sufrió un malestar sin importancia. Fue a saludarla al castillo el capellán del mismo. Al presentarse ante Catalina, el religioso dio su nombre: Julien de Saint-Germain. Dicen las crónicas de la época que la pobre reina cayó sin sentido al suelo al escuchar este nombre. Murió días más tarde, el 15 de enero de 1589, maldiciendo sin duda a su viejo amigo Ruggieri.

La profecía del fin del mundo

En 1556, Catalina había ordenado a Nostradamus que le informara sobre el

que a nadie se le había ocurrido en aquellos tiempos. Pidió también encalar los muros de las casas y quemar la ropa de los enfermos, así como a quienes perecieron de la peste, para evitar que el mal se propagara.

Era un individuo harto curioso aquel médico, de quien se decía que había aprendido la ciencia de curar de los árabes, cuando viajó por Oriente. Pero no fue gracias a sus conocimientos médicos como alcanzaría, sin mucho tardar, la celebridad, sino a una serie de profecías que dio a conocer a partir de 1555 y recibieron el nombre de *Centurias*, divididas en cuartetas.

De la práctica médica, y casi sin proponérselo, Nostradamus había pasado al estudio de la magia blanca, la

Madre y esposa dominante, amiga de utilizar venenos traídos de Florencia, intrigante como pocas, así fue Catalina de Médicis, quien supo hacer la vida difícil a su marido, el rey, y a sus amados hijos. Fue siempre amiga de profetas y astrólogos, que debían andar con tiento y presentar sus horóscopos de manera confusa, para que la buena señora no fuera a molestarse si no le agradaban.

futuro de sus cuatro hijos, Francisco, Carlos, Enrique y Margarita. El profeta —que debió darse cuenta de que los tres hijos varones bien poco valían físicamente— declaró a la reina que serían todos reyes de Francia. Catalina se sintió satisfecha, sin caer en la cuenta de que la noticia contenía elementos inquietantes: para que sus cuatro hijos se convirtieran en soberanos era preciso que tres de ellos murieran a temprana edad, lo que así sucedió. A continuación, Nostradamus predijo el trágico fin de Enrique II, a quien la lanza del inglés Gabriel de Montgomery atravesó la cabeza en el curso de un torneo, así como el triunfo de Napoleón Bonaparte, la muerte de Luis XVI y de su esposa María Antonieta en la guillotina, la llegada del III Reich y otros hechos históricos.

Es bien sabido que, cuando se trata de lanzar una predicción, jamás se anuncian sucesos color de rosa, sino hechos sumamente dramáticos. Fue lo que sucedió con Nostradamus, quien produjo 939 profecías en total. Las presentó primero por orden cronológico, pero tuvo que cambiarlo más tarde, por una razón perfectamente disculpable. Siendo de origen judío y temeroso del Tribunal de la Santa Inquisición, puesto que una de las profecías anunciaba el fin del papado, se vio obligado a alterar el orden de las cuartetas, para que a nadie le fuera sencillo descifrar su significado.

Una de las cuartetas que más sorprendieron a los franceses y que sigue intrigando a todos conforme nos vamos aproximando a la fecha predicha por Nostradamus es la que se refiere al fin del mundo.

Esta es la traducción del texto de la cuarteta 72 de la Centuria X, sin duda la más conocida y temida de todas las escritas por el profeta de Salon:

«El año mil novecientos noventa y nueve siete meses,
»Del cielo vendrá un gran rey de terror.
»Resucitará el gran rey de Angolmois,
»Antes después, Marte reinará con bien.»

¿Quién será este rey venido del cielo y en qué consiste ese Angolmois. ¿Por qué será un rey de terror y no de bondad, y qué tendrá que ver con Marte, sin duda el dios de la guerra?

Una de las cuartetas de Nostradamus aludía, de manera más o menos clara, a la figura de Napoleón Bonaparte, a su nacimiento y a su carrera meteórica. El pintor F. Gérard supo plasmar este instante glorioso en la vida del corso, cuando se convirtió en emperador de los franceses, concediendo así la razón al profeta de Salon.

Los hopis y los guardianes cósmicos

Creen estos hopis que nos encontramos en un quinto y último mundo, el cual será destruido por culpa de una estrella azul llamada Sasquasohum, que caerá sobre la Tierra. Este fenómeno se agravará por culpa del abandono de los guardianes cósmicos que velan por la conservación de las columnas que sostiene el firmamento, cuatro en total. Estos dos conceptos, el del quinto mundo y el de los guardianes cósmicos, encuentran una casi exacta correspondencia en el México precortesiano, así como también en diversos países de Asia, en Grecia, Egipto e incluso en los antiguos pueblos nórdicos, como si hubiera existido entre ellos una continua y estrecha comunicación.

De acuerdo con la mitología china, cuatro guardianes cuidan del mundo y rodean a un quinto elemento, que está en el centro. El palacio imperial, en la

¿Será, como opinan los que estudian el fenómeno OVNI, un ser venido del cosmos que dominará a los seres humanos y les enseñará a no jugar a las guerritas? ¿Será un profeta que introducirá en el mundo una nueva religión que irá más de acuerdo con la tecnología moderna?

Faltan pocos años para que suceda lo que Nostradamus anunciaba en su cuarteta. Tal vez sucederá entonces, como pasó con muchas de las otras cuartetas, que logre comprenderse el significado exacto de la terrible profecía. Y si nada acontece en ese séptimo mes de 1999, los libros de Nostradamus se venderán menos y nadie creerá en lo que dijo.

LAS PROFECÍAS DEL NUEVO MUNDO

Menos conocidos que los apaches, los navajos y los sioux, los indios hopi integran una tribu rica en leyendas, poco difundidas. Viven en la actualidad en reservaciones del estado de Arizona y en la California oriental, alejados del mundo al que no les agrada pertenecer. Entre sus numerosas tradiciones hay una en especial, que se refiere a un cataclismo sucedido antaño.

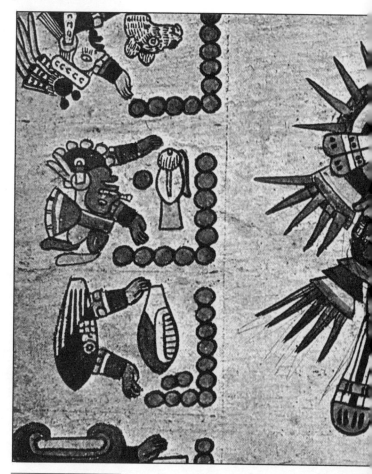

apital china, había sido construido, or esta razón, en cuatro partes, orien-ada cada una a un punto cardinal y intada cada parte de un color diferen-e. En la construcción del palacio inter-inieron cuatro arquitectos bajo la di-ección de una quinta persona, el propio mperador.

Resulta curioso observar que el nú-nero cuatro, asociado al cinco, posea an gran importancia en algunos mitos ntiguos. El hecho de que estuvieran nidos, oponiéndose el cinco a los nú-neros del uno al cuatro y dirigiéndolos l mismo tiempo, se origina en la mano umana, la herramienta más útil al ombre. La mayor parte de los edificios e la antigua China estaban orientados los cuatro puntos cardinales, pero lo nismo sucedió con los edificios impor-antes y sagrados de Egipto, Babilonia otros países, y también con los *teocalis* nexicanos. En todos los casos, cada ara tenía su color particular.

Los mayas dieron a estos guardia-nes cósmicos el nombre de *bacabs*, que

Abajo, página del Códice Borbónico, en la que aparecen enfrentados Quetzacóatl, a la izquierda, y Tezcatlipoca, a la derecha, deidades nahuas rivales en las luchas cósmicas que acabaron con los distintos soles que ha habido en el mundo. A ellas se les atribuye la invención del calendario, así como el haber presidido algunos soles cósmicos. En la página anterior, los hopis creen que el firmamento está sostenido por guardianes cósmicos, creencia que existía también en la India, como muestra la ilustración.

poseían una sombrosa semejanza con el Atlas de los griegos, copiado a su vez de los orientales. Atlas parece sostener el mundo en sus hombros, según puede verse en los libros escolares de geogra-fía, pero se trata de un error. En reali-dad, Atlas, igual que los *bacabs* mayas, sostiene la bóveda celeste.

Entre los egipcios, que aprendieron el concepto de los soportes del firmamento de los sumerios, eran tam-bién cuatro los gigantes que soporta-ban el techo celeste. Eran identificados estos gigantes con otros tantos picos elevados, uno de los cuales era el monte Ida de Creta y otro se hallaba en la cordillera del Atlas de Marruecos. Los griegos, que gustaban de darle a todo forma humana, fueron los que cambia-ron el monte en ser humano, al que lla-maron Atlas. Es curioso que el térmi-no *atl*, que significa agua en los países semitas, se aplicase también al elemento líquido en el México antiguo.

Por su parte, los escandinavos ado-raban también a los cuatro guardianes,

identificados con la svástica, símbolo de la Tierra en movimiento. Tendría su equivalente en la cruz gamada de griegos e hindostanos, así como en el Ollin de los aztecas, aprendido de sus maestros los toltecas.

El menor abandono de los guardianes de su puesto repercutía al instante en la buena marcha de las cosas en la Tierra. Este cambio de lugar de los guardianes cósmicos, es decir, de los puntos cardinales, ¿significa que el planeta está expuesto a sufrir un desplazamiento de su eje o de los polos, lo que puede traducirse en una serie de graves descalabros para la humanidad? ¿Tuvieron los antiguos alguna experiencia con un cambio de los polos, traducido en el arribo de una glaciación?

Un ejemplo de lo importante que resulta no descuidar los guardianes su vigilancia está en lo que se relata en un mito chino. Kung-Kung, espíritu maligno, quebró con la cabeza una de las columnas, aprovechando un descuido del guardián. Se desplomó entonces el agua del cielo, produciendo un diluvio espantoso.

Los soles cosmogónicos en México

También en el México anterior a la Conquista dominó el concepto de los cinco ciclos o mundos, que recibieron aquí el nombre de Soles. Y este concepto no fue ideado por los aztecas, como suele creerse, sino que nació en Teotihuacan. ¿Quién enseñó a los teotihuacanos esta filosofía cósmica?, ¿Fueron acaso los olmecas llegados al altiplano? ¿La trajeron de Asia los chinos o los japoneses que navegaron por el océano Pacífico varios siglos antes del nacimiento de Cristo? No hay respuesta exacta para estas preguntas. Solamente existe una certeza: de que el cuarto Sol llegó a su término coincidiendo con el arribo de Hernán Cortés a México y que nos encontramos ahora en el quinto y último Sol.

Cada uno de los Soles cosmogónico representó una etapa de destrucción, culpable de los serios quebrantos sufridos por la humanidad. El primer Sol nació en el año 955 antes de la era cristiana y recibió el nombre de *Naui-Ocelotl* (4 Jaguar). Tuvo una duración de 676 años. Tenía como elemento dominante a la Tierra y por dios supremo

El origen de los cinco ciclos, denominados soles por los aztecas, notablemente variable, estaba determinado por el acaecimiento de importantes hechos cuya alta capacidad destructiva producía grandes sufrimientos a toda la humanidad.

a Tezcatlipoca, el dios lunar. El mundo estaba poblado por gigantes, que fueron devorados en su totalidad por jaguares.

Este periodo simboliza, es fácil deducirlo, a la dominación ejercida por un pueblo invasor que permaneció durante esos 676 años en el país. Por supuesto que ese lapso podría equivaler a un periodo más largo, igual que sucede con los días de la Creación descritos en el Génesis bíblico, que deberían convertirse en millones de años, es decir, las Eras geológicas.

Se llamó el segundo Sol *Naui-Ehécatl* (4 Viento) y duró algo menos:

64 años. Tuvo como elemento primordial al viento — o al aire— y como dios a Quetzalcóatl. Este mundo fue destruido por los ciclones y los hombres que lograron sobrevivir a las fuerzas de la naturaleza se convirtieron en simios. Este episodio posee muy curiosas semejanzas con algunos textos mayas, como el *Popol Vuh*, y también con algunas tradiciones de la India, donde aparecen Rama y el simio Hanumán. No hay duda de que el texto sobre el segundo Sol se refiere a una catástrofe concreta: la proliferación de ciclones en ambas costas de México, que causaron miles de víctimas. Los sobrevivientes quedaron reducidos a vivir una existencia mísera.

Tal vez tenga alguna relación con el fin de los gigantes, tal como aparece en el primer Sol, una curiosa aventura emprendida por Quetzalcóatl, a la que se refirió el cronista de la Nueva España Fernando de Alba Ixtlilxóchitl. Viajó el dios barbudo a la costa occidental, donde conoció algo sorprendente: los restos de las humanidades destruidas en lejanos cataclismos de los que solamente se conservaba un vago recuerdo.

Define la vigencia del primer sol la dominación de un pueblo invasor, simbolizado por gigantes exterminados por jaguares; del segundo, los ciclones, con el viento como símbolo; y del tercero la erupción de volcanes, con la lluvia de fuego como símbolo: y del cuarto, un diluvio, simbolizado por el agua.

Con estos restos pudo construir Quetzalcóatl un nuevo ser humano. Estos restos, ¿serían acaso los fósiles que tanto abundan a escasos 100 kilómetros de la ciudad de Oaxaca y que se creyó, en el pasado, que eran huesos de gigante, como había sucedido en Inglaterra al ser descubiertos los primeros restos de dinosaurios?

El tercer Sol fue *Naui-Quiahuitl* (4 Lluvia) y duró un poco menos que el anterior: 312 años. Su elemento dominante fue el fuego y su dios Tláloc. Fue destruido el mundo con una lluvia de fuego que aniquiló a la humanidad. Es decir, hicieron erupción numerosos volcanes, al mismo tiempo, en México y posiblemente en todo el planeta.

Siguió a este Sol el cuarto, *Naui-Atl* (4 Agua). Tuvo una duración de 676 años, como el primero. Fue el Sol del Agua y estuvo dedicado a Chalchihuitlicue, esposa de Tláloc. Era diosa de la lluvia, igual que su consorte, e iba vestida con un faldellín de piedras verdes, tal vez fragmentos de jade. En el curso de este cuarto Sol se produjo un espantoso diluvio que inundó las tierras y convirtió a los hombres en

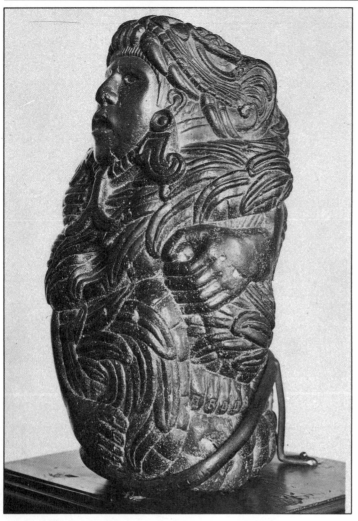

duración en años de cada uno de los cuatro primeros Soles pueda resumirse en *Xiumolpilli*, o periodos sagrados de 52 años que fueron ideados, al parecer, por los toltecas y de los cuales se apropiaron los aztecas.

Se verá que, dividiendo por 52 cada uno de los periodos, resulta:

Primer Sol.................13 Xiumolpilli
Segundo Sol.............. 7 Xiumolpilli
Tercer Sol .... 6 Xiumolpilli
Cuarto Sol ....13 Xiumolpilli

¿Cuál será la duración del quinto Sol, con el que se dará fin al mundo? ¿Tendrá la misma duración del segundo, que fue de 364 años? En tal caso, habría que contar ese fin del mundo a partir del año 1519 en que desembarcó Cortés en las playas de Veracruz. Pero no fue así, porque la fecha correspondió al año 1883, en que nada notable sucedió. ¿Cuál será entonces el año exacto anunciado en la vieja profecía prehispánica? ¿Será el 2195, correspondiente a 13 Xiumolpilli?

Las profecías que hundieron el imperio

Un ejemplo de lo mucho que puede influir una serie de profecías en el destino de un pueblo está en lo sucedido en México, en los 10 años que precedieron al arribo de los conquistadores españoles. Al anuncio del fin del cuarto Sol —vaticinio que fue sorprendentemente exacto— vino a sumarse la promesa hecha antaño por Quetzalcóatl: regresaría en un año Ce-Acatl (Uno Caña) para destruir a sus enemigos y convertirse en el nuevo soberano. Nada había sucedido en los Ce-Acatl anteriores, que fueron los años 1311, 1363, 1415 y 1467, pero las cosas cambiaron al aproximarse el 1519.

Ya en 1509 se había producido una aurora boreal, hecho inusitado en las inmediaciones del Trópico de Cáncer. No había duda de que este fenómeno encerraba un presagio funesto. A partir de aquel momento, los astrónomos escudriñaron el firmamento con mayor empeño, en busca de señales, buenas o malas, para comunicárselas al *tlatoani* Moctezuma. Fueron todas malas. Moctezuma II Xocoyotzin estaba convencido de que no tardaría en llegar a su fin el cuarto Sol y que su imperio se

peces. Es decir, que tuvieron que aprender a navegar.

En la actualidad, a partir del momento en que Hernán Cortés llegó a la ciudad de Tenochtitlan, capital del imperio azteca, nos encontramos en el quinto y último Sol, llamado *Naui-Ollin* (4 Movimiento), que llegará a su fin por culpa de muchos terremotos devastadores. Puede verse que los cuatro primeros Soles se identificaron con otros tantos elementos, que son precisamente los aristotélicos. Sabemos que Aristóteles se inspiró en parte en la filosofía oriental, como harían numerosos sabios de la antigua Grecia. ¿Hicieron lo mismo los creadores de este curioso concepto cosmogónico de los cinco Soles? Y en cuanto al cataclismo sísmico anunciado para fines del quinto Sol, ¿Podría determinarse en qué momento tendrá lugar? Resulta curioso observar que la

Una de las muchas formas en que los antiguos mexicanos representaron a Quetzalcóatl, la Serpiente Emplumada, el dios barbudo de tez clara llegado en una nave de blancas velas —enemigo irreconocible del tenebroso Tezcatlipoca—, dios del viento y hombre sabio que partió un día por mar y prometió regresar para castigar a quienes le obligaron a huir.

desmoronaría sin que pudiera hacer nada para evitarlo.

Un cometa se dejó ver todas las noches y el pueblo gritó asustado, como suele ocurrir en tales ocasiones, porque vio en él la señal de una desgracia. El segundo presagio fue el repentino incendio del templo de Huitzilopochtli, en circunstancias inexplicables. No cabía ya la menor duda: el dios supremo azteca iba a desaparecer.

Aparecieron a continuación en el cielo lo que todos tomaron por tres estrellas juntas, que lo surcaron de occidente a oriente. Siguió a este prodigio un fuerte oleaje en la laguna central, que levantó las aguas e invadieron éstas las casas sin que hubiera viento al qué culpar. No hay dudas en cuanto al causante del oleaje: se produjo uno más de los muchísimos terremotos que han venido sacudiendo, desde la antigüedad, al valle de México. Los habitantes

La historia del imperio azteca está salpicada de supuestos presagios de su perdición, registrados poco antes de la conquista española, como, por ejemplo, la aparición de un cometa y de estrellas desconocidas; un oleaje inusitadamente fuerte, sin presencia de viento; y un nocturno grito femenino cuya procedencia jamás logró establecerse.

del Anáhuac debían estar acostumbrados ya a ver estremecerse el suelo y a hacer erupción los volcanes que rodean al valle, pero sólo en aquella ocasión les dieron importancia.

Los siguientes presagios resultaron ser ajenos a la naturaleza. Más bien parecen pertenecer al terreno de lo sobrenatural o, mejor dicho, de la superstición popular. Vino primero el grito femenino, que resonó en la noche y que nadie supo decir de dónde procedía ni quién lo profirió. Pero en todos los hogares de la capital azteca pudieron escuchar unas escalofriantes palabras: «Estamos perdidos, hijos míos.» Y para terminar de aterrar al pueblo, y más aún a su emperador, llegó el séptimo presagio, aún más extraño. Unos cazadores condujeron a la presencia de Moctezuma un ave zancuda, encontrada en el lago, que tenía un espejo circular, a manera de cresta.

Admirado ante el curioso animal, Moctezuma dirigió una mirada a la cresta. Y, como si fuera ésta una vulgar bola de cristal como la de cualquier pitonisa, surgió ante sus ojos la más pavorosa de las escenas: un ejército desconocido, formado por soldados barbudos de fiero aspecto, armados hasta los dientes, que cabalgaban sobre animales semejantes a venados sin cuernos.

El soberano se dejó abatir y propició así el triunfo de Cortés, a quien identificó nada menos que con aquel Quetzalcóatl cuyo regreso había sido profetizado. De no haber sido por una serie de absurdas profecías y de su amor por la astrología, Moctezuma jamás se hubiera preocupado por la llegada de un puñado de invasores a los que hubiera vencido fácilmente.

Sin embargo, no fue en tiempos del Xocoyotzin que se inventaron en México la astrología y las profecías. Existían en el país desde hacía un buen

Muchos mexicanos devotos de la Virgen de Guadalupe pensaron, a fines de 1985, que sólo se salvarían de perecer en el tercer y último terremoto que sacudiría a la capital si se dirigían a la santa Patrona. Por fortuna para todos, y merced a los ruegos de tantos miles de creyentes, la Virgen los escuchó e intercedió ante la Madre Naturaleza para posponer su enojo. Se ignora qué sucederá la próxima vez, porque es seguro que habrá una próxima vez.

puñado de siglos, lo mismo en el altiplano que entre los mayas. Se afirma que fueron los olmecas, por conducto de Quetzalcóatl, los que dieron a conocer el arte de consultar las estrellas. Habían descubierto que los calendarios solar, sagrado y venusino coincidían cada 37.960 días, equivalentes a 104 años, es decir, dos veces 52, valor de un Xiumolpilli. Descubrieron los astrólogos otras curiosas correspondencias entre el planeta Venus y la Tierra, y las utilizaron para preparar el *Tonalámatl*, o libro sagrado de predicciones, que era usado exclusivamente por los sacerdotes.

Es de suponer que, tanto el *Tonalámatl* como los demás libros proféticos informaron a Moctezuma II acerca de la amenaza que se le venía encima. Sumada esta información a las señales observadas en el cielo y en la Tierra se creó una profecía deshilvanada sobre el fin del mundo azteca, a la que no pudo sustraerse el soberano. La fatalidad pudo más que el deseo de sobrevivir. Los adivinos reales no cometieron ningún error.

No significa esto que no fallaran a veces. Pero se ignora qué le sucedía a los astrólogos que cometían un error. Los sacerdotes brahmanes que se equivocaban en la India al emitir una predicción se veían obligados a no despegar nunca más los labios, en los años que les quedaban de vida. Los profetas chinos, en cambio, eran entregados al verdugo si las cosas no salían como habían anunciado a su emperador.

En la actualidad, los profetas y los astrólogos gozan de absoluta impunidad. Pueden lanzar las más tremendas profecías, seguros de que nada malo les sucederá si cometen un error.

LOS ASTRÓLOGOS TAMBIÉN SE EQUIVOCAN

Varias semanas después de producirse el pavoroso terremoto del 19 de septiembre de 1985, que medio destruyó la ciudad de México, dejó de existir María Sabina, mujer estrella, dueña de la vida y de la muerte. En tres años más se hubiera convertido en centenaria.

Hace una veintena de años, cualquier persona medianamente culta

sabía perfectamente bien que la hechicera mazateca de Huautla poseía extraños dones, que la ingestión realizada con mesura de hongos alucinógenos ayudaba a afinar. Poco antes de su muerte declaró a un periodista, haciendo alusión al reciente terremoto, que han sido numerosos los que han puesto en peligro la vida de los seres humanos. La humanidad, añadió, deberá modificar su norma de conducta si desea sobrevivir a los futuros cataclismos.

Estas fueron las palabras, sencillas y juiciosas, de la anciana que había vivido en la sierra oaxaqueña. Pero no todos los individuos que han hecho de estas prácticas su forma de ganarse la vida han sabido mostrar tanta prudencia y sabiduría en sus palabras como lo hizo María Sabina.

El mundo iba a terminar en 1982

Si el terremoto resultó espantoso, iba a ser insignificante al lado del que sucedería en la ciudad de México antes de llegar a su fin el año. A partir del 20 de septiembre, cuando hubo otra sacudida de menor intensidad, pero lo bastante fuerte como para aterrar a quienes se habían mostrado la víspera valerosos, comenzó a circular por la capital una predicción estremecedora.

La astrología ha tenido sus altibajos. Durante las épocas en que aumentaba el interés por la ciencia disminuía la atención a la astrología, aunque hubo ciertas características astrológicas que no perdieron validez, por ejemplo, la influencia de la luna en el ser humano, especialmente en las mujeres, como lo ilustra este grabado del siglo XVII

El día 12 de diciembre, fecha en que se festeja la Virgen de Guadalupe, habría un nuevo terremoto, mucho más catastrófico que el anterior, que terminaría de derribar edificios que habían quedado ilesos. En el amanecer de ese día aciago, la basílica guadalupana fue escenario de mayor número de misas y recibió más ofrendas florales que nunca. Llegaron ciclistas, corredores y caminantes por millares, familias enteras, romería tras romería con la esperanza de persuadir a la Virgen que evitara la catástrofe. Y la Virgen debió escuchar a tantos fieles, afortunadamente. Atendió a la petición de aquella gente, o acaso los agoreros cometieron un pequeño error en sus vaticinios y nadie llegó a castigarlos por su atolondramiento. La ciudad se salvó y siguió en pie, aunque algo maltratada.

Tampoco iban a acertar los profetas que anunciaron la completa destrucción de California para el 10 de marzo de 1982, debido a un terremoto gigantesco cuyos efectos devastadores se dejarían sentir en gran parte del planeta. En este caso, la predicción no fue inventada por magos y charlatanes radicados en California, sino por eminentes profesionales de la astrología que vivían en Calcuta, importante ciudad de la India. En realidad, predecir el fin de California es de lo más sencillo, puesto

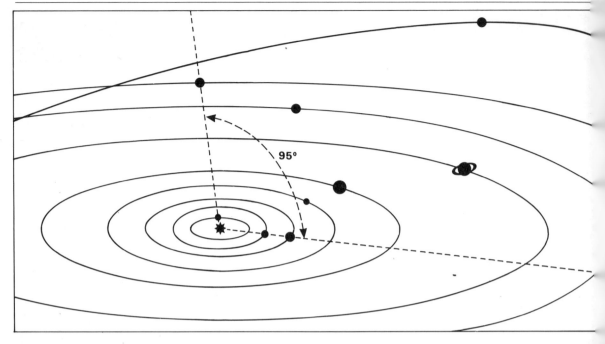

95°

que la famosa falla de San Andrés se abre unos centímetros más cada siglo y precipitará al mar, irremediablemente, la angosta faja de tierra que se extiende de San Francisco a San Diego, pasando por Los Angeles.

Lo mismo sucede en Japón, otra región inestable cuyo litoral se inclina progresivamente, de manera imperceptible, hacia el océano Pacífico. Algún día caerá al mar parte del país . Todo el mundo, en Japón y en California, sabe que se vive en un lugar inestable y que puede llegar para ellos, cuando menos se espere, el fin del mundo. Pero nadie puede afirmar con certeza en qué fecha exacta sucederá la catátrofe. Solamente los astrólogos ocasionales se atreven a decirlo, y que será preciso abandonar el lugar. Hasta hoy, se han equivocado siempre.

El notable astrólogo hindú B.V. Ramán había manifestado, en los primeros días de 1982, que la ciudad de Los Angeles, así como diversas islas del Pacífico, se hundirían en el mar. Y se atrevió a fijar una fecha: ese 10 de marzo de 1982. Miles de personas estuvieron rogando en la India a Agni, dios del fuego, para que destruyera a los demonios que iban a aparecer en el día fatídico. Numerosos agoreros amigos de asustar al prójimo siguieron el ejemplo de Ramán y predijeron grandes mareas y hasta el cese del movimiento de rotación de la Tierra. Iba a producir-

No se tiene noticia de que haya ocurrido alguna vez una conjunción perfecta, con todos los astros del sistema solar en línea recta, como la supuestamente sucedida el 10 de marzo de 1982. Pero se conoce, en cambio, situaciones como la presentada en el dibujo, cuando todos los planetas se encontraron dentro de un ángulo de 95º.

se un supercataclismo del que muy pocos lograrían salvarse.

Los astrónomos profesionales de California afirmaron que, a pesar de decirse que el cataclismo sería ocasionado por un fenómeno celeste, era éste perfectamente natural y en nada iba a repercutir en nuestro planeta. Los periódicos serios hicieron ver a sus lectores que la predicción del astrólogo de la India, secundada por docenas de «expertos» de todo el mundo, era una estupidez y que nada iba a suceder.

Sin embargo, conforme se aproximaba la fecha anunciada, crecían en número las ceremonias sagradas en la India y se hicieron más ofrendas al dios del fuego, con la esperanza de apaciguar su ira. Y mucha gente, en el resto del planeta, comenzó a asustarse, pensando que muy pronto dejaría de existir.

Curiosamente, no era el astrólogo de la India el primero que había hecho esta predicción sobre el fin del mundo, sino científicos aparentemente prestigiosos que no vacilaron en atemorizar al mundo con una serie de vaticinios pavorosos. Eran los norteamericanos Stephen H. Plageman y John Gribbin, que en 1977 publicaron el best-seller *The Jupiter Effect*. Señalaban en su obra la fecha exacta en que sucedería la catástrofe. Y en México, un astrólogo de nombre Arnoldo Krumm-Heller dio una fecha que más tarde quiso corregir, «para no asustar demasiado» a sus pai-

años. Añadió que el mejor refugio, cuando sucediese el cataclismo, sería la plataforma superior de las pirámides de Teotihuacan.

Ahora bien, si se habló de este desastre de 1982, ¿en qué basaron estos aficionados a la astrología para pronosticarlo?

El fenómeno de las conjunciones

De todos es conocido el efecto causado por la Luna sobre nuestro planeta. Se traduce, entre otras cosas, en mareas cuya intensidad depende de la posición relativa del satélite con respecto a la Tierra. Así, las mareas se muestran más intensas cuando la Luna se encuentra en conjunción con el Sol. Es decir, cuando Sol, Luna y Tierra forman una línea recta, encontrándose en medio la segunda. Las conjunciones pueden producirse también, lógicamente, con otros planetas del sistema solar, pero el fenómeno no es entonces tan frecuente.

En el mes de marzo de 1982 iba a ser posible observar, al mismo tiempo, ocho de los nueve cuerpos conocidos del sistema solar, incluyendo a la Luna. Venus sería el más visible, así como se vería menos al diminuto Mercurio. En tales circunstancias, al suceder una conjunción planetaria tan importante, las mareas resultantes de la acción de los planetas serían tan poderosas que causarían terribles perjuicios al nuestro.

Se partía, en realidad, de un desconocimiento absoluto de la mecánica celeste. Puesto que la atracción que ejercen unos planetas sobre los otros es recíproca y está en razón directa de sus respectivas masas y en razón inversa al cuadrado de las distancias que los separan, resultaba algo perfectamente lógico: si la Luna, pese a su diminuto tamaño, actúa de manera tan fuerte sobre la Tierra es debido a su proximidad. La atracción del resto de los planetas, con la sola excepción del Sol en el que domina su enorme masa, no vale la pena ser tomada en cuenta, debido a su lejanía.

El caso es que llegó el 10 de marzo y fue un día como otro cualquiera, conforme habían anunciado los astrónomos más enterados. Tal vez en algunas costas subió la marea un par de centímetros más que otras veces, pero ningún daño causó. Sucedió en toda la Tierra lo mismo que 179 años antes, cuando tuvo lugar la anterior conjunción. Las estadísticas informan que en 1803 nada importante sucedió.

La precesión de los equinoccios

Según apuntan los astrólogos, el inicio de una era zodiacal va siempre acompañado de grandes calamidades que se registran en diversas partes del mundo. Si se cumplieran estas predicciones, deberíamos hacer frente a una sucesión de gravísimas catástrofes como consecuencia de los fenómenos que traería consigo el comienzo de la Era

El inicio de la Era de Acuario, tan cercana a nosotros, significará, de acuerdo con los astrólogos, el inicio del fin. El paso de una Era zodiacal a la siguiente se ha distinguido desde siempre, al parecer, por todo género de catástrofes, a nivel mundial. Y han dado varios ejemplos para ilustrar lo que dicen.

Afirman que al llegar a su fin la Era de Leo y presentarse la de Cáncer, hace unos 10.000 años, hubo hundimientos en el mar. En el océano Atlántico desapareció para siempre, en su opinión, el continente perdido de la Atlántida, mientras la tierra de Mu se hundía en el Pacífico.

El paso de Cáncer a Géminis vio pasar un cometa cercano a la Tierra, causando muy dramáticos accidentes, hace unos 8.000 años. De acuerdo con Emmanuel Velikovsky, el discutido autor de *Mundos en colisión*, este cometa no fue otra cosa que una enorme masa gaseosa que se había desprendido del planeta Júpiter dejando al abandonarlo una mancha rojiza que puede verse perfectamente con el telescopio. Antes de pasar por las proximidades de la Tierra hizo añicos un planeta situado entre Marte y Júpiter, y los fragmentos se convirtieron en cientos de asteroides que siguen describiendo órbitas en torno al Sol y que a veces se aproximan, peligrosamente, a la Tierra. Acabó con

En realidad, el buey Apis egipcio no era tal, sino un auténtico toro identificado con el signo primaveral de Tauro, símbolo del renacimiento de la vida después del letargo invernal. En todos los países de la antigüedad se rendía homenaje de adoración, con ligeras variantes, lo mismo al toro que a la cabra, animales de pezuña hendida que serían contemplados con horror por los judíos.

la capa gaseosa respirable que mantenía la vida en Marte y lo convirtió en un planeta muerto. Provocó más tarde, a su paso cerca de la Tierra, diluvios y terremotos, y fue a ocupar el lugar que le conocemos, en Venus, después de desplazar a Mercurio. Estos diluvios y terremotos pasaron a formar parte de las leyendas llegadas hasta nuestros días.

Hubo también serios fenómenos naturales en el paso de Géminis a Tauro y esta transición coincidió con el inicio del culto al toro y a la cabra. Surgió la adoración al buey Apis en Egipto, a los toros alados en Babilonia y Asiria, así como las fiestas sagradas ligadas a la primavera y a la procreación.

Al llegar Aries se dio por terminada la dominación del toro y apareció el culto al cordero pascual, símbolo de la nueva religión judaica. Y al pasar a convertirse Aries en Piscis, se produjo otro notable cambio religioso: nació el cristianismo. Es lo que opinan los esoteristas, que añaden lo siguiente: independientemente de los cataclismos que devastarán al planeta, o tal vez como elemento adicional, aparecerá un nuevo dirigente religioso al acercarse la Era de Acuario. El mundo cambiará de manera radical al finalizar el presente siglo.

Al conocer estas fechas de transición, en las que una era zodiacal sigue a la anterior, se verá que los periodos han tenido siempre la misma duración: 2.152 años y 3 meses. Existe para ello una razón perfectamente lógica, basada en un curioso fenómeno conocido como *precesión de los equinoccios*. Se ha dicho que fue descubierto por el astrónomo griego Hiparco, en 139 a.C., pero pudo suceder que lo conocieran desde mucho antes, en Babilonia y en la India. Pero fue el griego el que lo dio a conocer en Occidente. Suficiente para atribuirle todo el mérito. En esta precesión de los equinoccios, cuya duración total es de 25.827 años, se inspiraron los astrólogos de la antigüedad, que buscaron una correspondencia entre la actuación de los astros y lo que sucede en la Tierra.

Además de su movimiento de rotación sobre su eje y el de traslación en torno al Sol, la Tierra está animada por un tercer movimiento, casi imperceptible. Se asemeja al que posee un trompo girando, que se inclina mostrando todos los puntos de su superficie, uno después del otro, a un punto de referencia exterior. La Tierra se ladea de igual manera y las estrellas parecen desfilar por encima de ella para regresar al punto de partida. Y esto sucede cada 25.827 años.

Los antiguos dieron diversos nombres, casi siempre animales, a los conjuntos de estrellas que se imponían en el firmamento. Los llamaron constelaciones. Fueron doce en total y seguían siempre el mismo orden: Aries, Tauro, Cáncer, Leo, Escorpio, Capricornio y Piscis —animales—, además de Géminis, Virgo, Sagitario y Acuario —seres humanos— y Libra, un objeto. El paso de una Era a la siguiente, sucedía cada

Es innegable la utilización de la astrología en las predicciones de hechos históricos, así como también es inequívoca la capacidad de ciertas personas que, haciendo uso de artes esotéricas, han ayudado a curar males o aclarar misterios.

25.827 años divididos por 12, es decir, cada 2.152 años y fracción de 21 siglos y medio.

El profeta durmiente de Hopkinsville

Ningún libro que incluya en su texto a los profetas podrá considerarse completo si no aparecen en sus páginas las proezas realizadas por Edgar Cayce, el profeta durmiente de Hopkinsville. Sus biógrafos le conceden poderes portentosos, pero suelen callar que aparecieron a raíz de recibir un pelotazo en la cabeza, a la edad de diez años. El holandés Peter Hurkos —solicitado por la policía en 1963, para descubrir al estrangulador de Boston por medios psíquicos— manifestó también muy curiosas facultades durante la II Guerra Mundial, después de caer de un andamio y de golpearse la cabeza. De alguna manera influyeron los dos golpes en una región aún desconocida del cerebro, en ambos casos.

Edgar Cayce nació en 1877 en la pequeña población de Hopkinsville,

Kentucky. Cuando recibió el pelotazo cayó sin sentido. Estando en coma citó diversas plantas, a pesar de que nada sabía de medicina herbaria, para que hicieran con ellas una cataplasma y se la aplicaran en la nuca. Sanó al instante. A partir de entonces se inició su prodigiosa carrera, en la que dos factores iban a distinguir a Cayce hasta su muerte, acaecida en 1945: se sumía en trance para emitir sus consejos médicos y sus predicciones, y mencionaba sucesos de los que no tenía la menor idea y que resultaron ciertos. Cayce no tuvo jamás oportunidad de estudiar. Era prácticamente un ignorante.

Entre sus profecías más destacadas, dichas siempre en sueños, merecen citarse las siguientes: el creciente desplazamiento de los polos y un intenso terremoto a nivel mundial que precipitará al mar a California y a Japón. No supo fijar Cayce una fecha para estos cataclismos, ni tampoco para los terremotos que azotarán a la región de Nueva York o el hundimiento del mar Mediterráneo. Predijo también el hallazgo de la Atlántida para 1968 (lo que no sucedió).

Algunos especialistas del tema han manifestado que la pretendida ignorancia de Edgar Cayce era falsa, como todas sus profecías. Pese a ello sigue existiendo en Estados Unidos un culto hacia su figura desaparecida. Estos detractores dicen que mucho de lo que anunció Cayce sobre la Atlántida había sido tomado de un libro escrito por Ignatius Donnelly en 1882 y de otro de Rudolf Steiner publicado en 1911. Por otra parte, en sus revelaciones hipnóticas Cayce se refirió alguna vez al hallazgo del cráneo de Piltdown, respecto al cual declaró que había pertenecido a un atlante que formaba parte de un grupo de sobrevivien-

En 1986 pudo observarse en la Tierra el arribo del cometa Halley, que había sido visto antes en 1910. Se aproxima al sistema solar cada 76 años, dentro de su enorme órbita elíptica que lo conduce hasta varios millones de kilómetros más allá de Plutón, el más alejado del Sol de los cuerpos del sistema.

Es lo que se examinará a continuación, empezando por los peligros que amenazan a la Tierra desde el espacio. Es decir, los peligros extraterrestres, así como existen dos tipos de amenazas terrestres: naturales y provocadas por el ser humano. Se comenzará con los cometas, con el Halley al frente.

EL TEMOR A LOS COMETAS

La humanidad desaparecerá algún día, de eso nadie tiene la menor duda, pero se ignora de qué manera ni cuándo, a pesar de que se ha especulado sobre la proximidad del año 2000. ¿Será por culpa de una epidemia a nivel mundial, de un diluvio o de un cataclismo cósmico? ¿Será por culpa de una guerra mundial o por la radiactividad provocada por el propio ser humano? ¿Un asteroide o un cometa serán los culpables de la desaparición?

Extrañas creencias en torno a los cometas

Todavía en nuestros días no faltan las personas que se atemorizan cuando contemplan un eclipse solar o ven en el firmamento un cometa o cualquier fenómeno que vaya más allá de su capacidad de comprensión. En el pasado se

tes de la catástrofe de la Atlántida que lograron llegar a Inglaterra.

Con este episodio de Edgar Cayce se cierra la serie de anuncios funestos, para evitar que la relación llegue a tornarse tediosa. Solamente se intentó dar a conocer al lector diversos ejemplos de profecías lógicas y de profecías francamente absurdas. Aprenderá así a desconfiar de quienes han hecho de esto un negocio. Pero sí inquieta un punto, una vez enterados de algunos casos. ¿Se trata, en todos los casos, de pura charlatanería, de profecías vacías de contenido, o acaso nuestro planeta está expuesto a sufrir, en un futuro nada lejano, una serie de calamidades que podrían conducirlo a su fin? ¿Debe pensarse que, si tantas veces se ha dicho en la antigüedad que existe una periodicidad en las catástrofes, estamos expuestos a sufrir una de enorme intensidad en el futuro?

tenía la certeza de que la presencia de un cometa en el firmamento, con su cabeza luminosa y parpadeante, provisto de una larga cauda, sólo dificultades al género humano podía ocasionar. Sin embargo, sucedía a veces lo contrario. Era cuestión de suerte o de saber.

Por ejemplo, nacer bajo una buena estrella equivalía a hacerlo cuando un cometa aparecía en el firmamento. Así sucedió con Napoleón y con Alejandro Magno, que se convertirían en grandes aficionados a los horóscopos, y con diversos personajes de la historia, entre ellos Adolfo Hitler y Ronald Reagan. Pero no es probable que ninguno de ellos se haya interesado jamás en saber qué es un cometa.

Tuvo que ser el inglés Edmond Halley el que, en 1705, por primera vez en la era moderna, estudiase los cometas y anunciase que uno que había sido visto en 1531, 1607 y 1682 era el mismo en todos los casos; añadió que volvería a aparecer en 1758, después de describir una órbita gigantesca que duraría 76 años. No tuvo oportunidad de verlo de nuevo, pero sus colegas bautizaron al cometa, en su honor, con el nombre de Halley, a pesar de que había sido conocido y descrito ya por los astrónomos chinos y babilonios.

El abate Th. Moreux, uno de los inventores de la piramidología, ciencia que pretende adivinar el futuro a través del estudio de la Gran Pirámide, afirmaba que el paso de un cometa por las proximidades de la Tierra volvería su atmósfera irrespirable. Su paisano Camilo Flammarion hizo otra declaración, acerca del Halley, que aparecería en 1910.

Había dicho el año anterior que la cauda del cometa Halley contenía cianuro en cantidades fabulosas, que mataría a media humanidad y que por culpa de él habría violencia en el mundo. Falló en lo del envenenamiento colectivo, pero no en que fue un año dramático. Estalló la Revolución Mexicana y se gestó la china que se iniciaría el siguiente año, además de que hubo myor número de crímenes y pequeñas guerras y comenzó la Paz Armada que conduciría a la Gran Guerra. Por otra parte, la gente reaccionó de diversas maneras ante el anuncio del arribo del Halley.

Un industrial de Chicago construyó un refugio provisto de cien botellones de oxígeno, por lo que pudiera ofrecerse. En la misma ciudad, otro señor deseoso de ganar dinero puso a la venta unas píldoras para prevenir los males que acarrearía el maldito cometa. En el estado de Oklahoma, un sheriff llegó oportunamente a salvar a una joven que iba a ser sacrificada por los fanáticos de una secta para lavar los pecados de los hombres, para que no sucediera la catástrofe. En la ciudad de Roma hicieron las cosas mejor. Se embriagó gran parte de la población, para recibir mejor el fin del mundo. Fue el gran negocio para cerveceros, taberneros y vinateros.

En Hungría, muchos pasaron la víspera en vela. Hubo numerosos suicidios. En la población alemana de Tréveris, una mujer tiró su hijo a un pozo, para que no fuera a presenciar los horrores que llegarían muy pronto. El matemático francés Daniel Bernouilli había afirmado el siglo anterior que los cometas no son malos en sí, pero conviene guardarse mucho de su cola, siempre peligrosa. Otros científicos de ideas claras, como François Arago y Pierre-Louis Moreau de Maupertuis, habían manifestado que los cometas están habitados por gente dueña de muy malos sentimientos.

Los griegos identificaron a los cometas con el carro solar conducido por Faetón, hijo de Apolo. No fueron tan precisos ni conocedores de estos temas como los babilonios y los chinos, que observaron el cometa Halley, por primera vez, en 1507 a.C., y así lo señalaron en una vieja crónica. Y a partir del 240 a.C., registrarían su aparición con periodicidad. En cuanto a los astrónomos de Babilonia, llamaron a los cometas «barbas del cielo».

Los cometas pueden ser peligrosos

La ciencia moderna opina que la caída de los cometas nada tiene de peligrosa, a pesar de lo que pudieran creer algunos sabios de tiempos pasados, pero carece de elementos para afirmar nada: el cometa que más se ha aproximado a la Tierra fue uno que pasó en 1770 —debió ser de buena estrella para Beethoven, quien nació en ese año— a 2 millones de kilómetros, o 6 veces la distancia entre la Tierra y la Luna. En cuanto al choque de un cometa del tamaño del

Halley —su núcleo alcanza apenas 3 kilómetros de diámetro y es sólo una bola de hielo sucio mezclado con amoníaco y otros compuestos, pero con una cauda que va más allá del millón de kilómetros —contra la Tierra, su probabilidad es de una contra varios miles de millones. Tal es la opinión de Carl Sagan. Otros científicos, como Harold C. Urey, premio Nobel de Física en 1934, afirmaron que una colisión cósmica señaló el paso de una Era geológica a la otra y que el autor del choque pudo ser un cometa.

Su velocidad en el momento del impacto pudo ser de 42 kilómetros por segundo, y resultó una energía igual a la desprendida por todo el planeta a causa de las radiaciones solares. La temperatura subió al instante en la atmósfera, hasta los 200° y se evaporó el agua de los océanos. Se sucedieron los terremotos y se perdió la mitad del aire respirable. Desaparecieron numerosas

Un aspecto de la Tunguska —también llamada Taiga— del norte de la Siberia central, donde un fenómeno cuyas causas se desconocen todavía con exactitud devastó una enorme extensión de bosques. Todas las explicaciones aventuradas, en especial la extraterrestre, han sido recibidas con escepticismo, sin convencer a nadie.

especies animales y vegetales y se produjeron muchas mutaciones.

Pero, si el choque del núcleo de un cometa contra la Tierra es algo improbable, no podrá decirse lo mismo de la caída de un fragmento, por pequeño que sea. La energía desprendida en el momento del impacto depende de la masa del cuerpo, pero es proporcional al cuadrado de la velocidad, que suele ser enorme. Estos accidentes pueden suceder en cualquier momento. Se ha dicho que cada mil años cae uno de estos fragmentos sobre nuestro planeta, pero esta periodicidad no responde a un ciclo perfectamente regular.

Uno de estos fragmentos de cometa pudo haber provocado la catástrofe del norte de Siberia, sucedida la mañana del 30 de junio de 1908 en la región de la Tunguska. Los sismógrafos de todo el mundo registraron una enorme sacudida, semejante a la de un terremoto, y la zona quedó devastada en un radio de

docenas de kilómetros. Hubo que esperar muchos años para que la ciencia diera con una explicación razonable. Sin embargo, no todos pensaron en un fragmento de cometa.

Los aficionados al fenómeno OVNI, con el soviético Ziegler al frente, afirmaron que el estallido fue provocado por una nave estraterrestre, cuya turbina termonuclear hizo explosión a escasos metros de los bosques. Otros afirmaron que se debió a una explosión de antimateria y otros culparon a un microagujero negro que anda dando vueltas por el sistema solar y que en aquella ocasión se acercó demasiado a la superficie de la Tierra. Sin embargo, en opinión de la revista norteamericana *Science* fue un meteorito lo que cayó en Siberia y pesó nada menos que siete millones de toneladas.

Es preciso aclarar que la energía liberada por el fragmento de cometa, o lo que fuera, resultó menor que la producida en el curso de la erupción del volcán Krakatoa, hace poco más de un siglo, o que en la de volcán de la isla de

Son muchos los hechos extraños cuyo origen sigue siendo un misterio, como la aparición de gigantescas huellas no identificables o explosiones inexplicables en algunos campos y bosques de diversos y alejados lugares del mundo. Por tanto, nada tiene de extraño que, ante la multiplicación de los fenómenos esotéricos, a menudo se atribuya su procedencia a los objetos voladores no identificables (OVNIS).

Thera, situada en el mar Egeo, que ocurrió hace unos 35 siglos.

Los primeros cometas debieron aparecer hace unos 4,6 mil millones de años, al mismo tiempo que se formaron los planetas del sistema solar. Se cree que describían órbitas circulares entre Saturno y Urano y que esas órbitas se fueron volviendo cada vez más excéntricas, debido a la atracción ejercida por otros cuerpos, y comenzaron a alejarse. Fueron captados finalmente los cometas por la llamada nube de Oort, situada a varios miles de millones de kilómetros de la Tierra. Valdrá saber algo más de esa nube de Oort, porque podría ocasionar muy graves problemas a nuestro planeta, antes de que transcurran muchos años.

Tendremos que saber también algo sobre un misterioso planeta, todavía no descubierto, al que se ha llamado X, por desconocido y porque podría ser el planeta número 10 del sistema solar, situado mucho más allá del noveno, que es Plutón. En los últimos años, X ha recibido el nombre de Némesis.

Némesis y la peligrosa nube de Oort

Richard Miller y sus colaboradores del laboratorio Lawrence de Berkeley sugirieron el nombre de Némesis, diosa griega de la venganza, para designar al cuerpo que podría ser un hermano del Sol, pero algo más pequeño. Los dos cuerpos girarían en torno a un baricentro, o centro de gravedad. No se conoce a ese hipotético hermano del Sol por una sencilla razón: se encuentra a enorme distancia. Este Némesis describe una órbita elíptica de 26 millones de años. En su afelio, o punto más alejado del Sol, se halla a 2,4 años-luz de éste, y en su perihelio a 1,6 años-luz, que representan una cantidad bastante apreciable de millones de kilómetros. Y debido a su lejanía es más fácilmente perturbado por la atracción de otros cuerpos o nubes que flotan en el vacío. Y, a su vez, influye en ellos.

Los astrónomos habían estado buscando un cuerpo perturbador, culpable de que los cometas describan órbitas elípticas tan excéntricas, que sólo ocasionalmente se internan en el sistema solar. Este cuerpo hipotético podría ser Némesis. Por mala suerte, tal cuerpo no ha podido ser localizado por ningún poderoso telescopio. Se ha deducido su existencia por medio del cálculo y nada más.

En el recorrido de su órbita, afirma el astrónomo belga Armand Delsemme, arrastra una nube de cometas en constante colisión contra los cuerpos que encuentra en su camino y provoca perturbaciones en la órbita de algunos cometas, entre ellos el Halley. En efecto, éste llegó a su perihelio, a comienzos de 1986, unas horas antes de lo que debiera, todo por su culpa.

En el curso de su largo viaje, Némesis se encuentra con una masa de partículas de todos los tamaños y de cometas conocida como la nube de Oort —así llamada en honor al holandés Jan Oort, que la descubrió en 1950 —, e influye en ella de tal manera que parte de esas partículas y cometas cae sobre nuestro planeta a lo largo del siguiente millón de años. Al ser perturbado en su órbita normal por la proximidad de Némesis, el cometa hará caer sobre la Tierra una nube de polvo que la envolverá bloqueando los rayos solares. Esto producirá cambios de enorme magni-

A partir de 1950 se sabe que no todo aquello que parezca una nube normal necesariamente lo será. Por ejemplo, a la nube de Oort, formada por un sinfín de partículas y cometas e influenciada por un cuerpo estelar denominado Némesis, se le atribuye la posibilidad de producir una lluvia de polvo capaz de impedir el paso de los rayos solares a la Tierra.

tud en el clima de nuestro planeta, con los consiguientes desastres.

Al estudiar la periodicidad de los cataclismos de gran intensidad, científicos de las universidades de Chicago y Berkeley llegaron a la conclusión de que han venido sucediendo cada 26 millones de años. Se extinguió entonces la vida en el planeta, en su casi totalidad. Pero es muy improbable que los cometas caigan con tan exacta periodicidad en la Tierra. Fue preciso buscar la causa en otra parte.

Fue ésta que la Tierra, en su viaje por la galaxia acompañando al Sol, penetra ocasionalmente en una región del cosmos rica en estos cuerpos, como puede ser la nube de Oort dominada por Némesis. Y la duración de la órbita de éste es de es 26 millones de años.

Esta teoría se complementa con la emitida, en 1979, por Arnold Wolfendale, físico de la universidad Durham. Parte del hecho de que el sistema solar, con el Sol en su centro, se desplaza por la Vía Láctea, cuyo diámetro es de 100.000 años-luz y su espesor de 15.000. El viaje por el centro de la galaxia dura unos 250 millones de años y el sistema solar atraviesa el plano central de la misma cada 33 millones de años. Tropieza entonces con una nube estelar de polvo y gases que suelen afectar al Sol y a la Tierra, así como su fuerza gravitacional influye en la nube de Oort, que gira también en torno al sistema solar.

Un fragmento de hielo de esta nube es arrastrado hacia el Sol y se transforma en cometa. Como frutas caídas de un árbol, los cometas se desprenden de la nube de Oort, provocando oscurecimientos ocasionales del Sol. En el pasado debieron ocurrir oscurecimientos intensos, de los que resultaron inviernos cósmicos de resultados nefastos para la vida en la Tierra. Y este desastre volverá a suceder, pero no se sabe cuándo.

Finalmente, sería interesante saber en qué momento del ciclo de 26 millones de años nos encontramos. La última gran extinción de animales y plantas sucedió hace 11 millones de años. Por ese lado, nada hemos de temer. A no ser, claro está, que el peligro venga por otro lado.

LA AMENAZA DE LOS METEORITOS

Chocar el núcleo helado de un cometa contra la Tierra tiene tan escasas probabilidades de suceder como que un chimpancé, golpeando al azar las teclas de una máquina de escribir, llegue a componer un soneto. Lo mismo sucede con los meteoritos, suele creerse. Y menos aún se acepta que alguna vez le hayan acertado a un ser humano en el cuerpo. Sin embargo, se conocen algunos casos de objetos caídos del cielo que dieron en el blanco.

Una niña fue lastimada en Japón, en 1930, por culpa de un meteorito. Por fortuna, era de pequeño tamaño. En 1954, la señora Hewlett Hodges, que vivía en la pequeña población de Sylacauga, Alabama, sufrió un fuerte golpe y quemaduras en la cadera al caerle encima un meteorito de 4 kilogramos que antes atravesó el tejado de su casa. Esto le amortiguó el golpe, y la señora salvó la vida.

El francés Antonio Lavoisier hizo muy importantes experiencias sobre la composición de la atmósfera y la ciencia en general. Sin embargo, se mostró categórico al afirmar que ninguna piedra puede caer del cielo. Lástima que la guillotina cortase su cuello antes de tiempo y le impidiera recapacitar y reconocer más tarde su error.

Más extraordinario fue lo sucedido en Wethersfield, Conn., donde en el transcurso de 11 años cayeron dos meteoritos que no lastimaron a nadie. El 8 de abril de 1971, los esposos Cassario veían un programa de televisión en la sala de su casa cuando fueron sorprendidos por un espantoso crujido. En el techo se había abierto un enorme boquete y un meteorito humeante estaba quemando la alfombra. Pesaba sólo 100 gramos. Sería algo mayor, de 3 kilogramos, el que caería el 8 de noviembre de 1982 en la residencia de la familia Donahue, a solamente una milla de distancia. El boquete en el techo fue, lógicamente, mucho mayor.

Cada día caen por millares

En 1770 se reunió la Academia de Ciencias de París para presentar un dictamen sobre cierto pedrusco que, según se dijo, había caído del cielo en la localidad de Luce. Antonio de Lavoisier (1743-1794), que había realizado excelentes trabajos sobre la composición del aire y a quien se considera uno de los creadores de la química moderna, declaró algo que en la actualidad parece carecer de sentido: del cielo no pueden caer piedras y si la de Luce estaba muy caliente era porque había permanecido expuesta al sol más tiempo del que debiera. No tuvo tiempo de rectificar, porque llegó la Revolución Francesa y le cortó el cuello.

Treinta y un años después era descubierto oficialmente el primer meteorito llegado del cielo y en 1803 se aceptaba que se producen en ocasiones lluvias de meteoritos. A partir de entonces se puso de moda encontrar meteoritos de todos los tamaños. Se les dio este nombre cuando se encontraban ya en la Tierra. Mientras se desplazaban por el espacio eran sólo asteroides. Se descubrió también que en el pasado cayeron objetos semejantes.

Tal vez el más famoso de los meteoritos es el que se conserva en La Meca, ciudad sagrada de los musulmanes, en el templo de la Kaaba. Es un edificio venerado desde mucho antes de venir al mundo Mahoma, padre de la religión islámica. Tiene este edificio forma de exaedro de 12 metros de lado, cuyo interior parece no contener nada. En una de sus esquinas, la de oriente, está la Piedra Negra. De acuerdo con la

tradición, un ángel la trajo del cielo. ¿Se trata acaso de un meteorito de forma especial?

La relación de meteoritos adorados por diversas religiones es larga. E incluso los meteoritos descubiertos en fechas más recientes han provocado a veces un temor supersticioso. El de mayor tamaño encontrado hasta el momento apareció en 1920 en la granja Hoba, en Groodfontein, África del Sur. Tiene 2,7 por 0,9 metros y pesa unas 50 toneladas. Sigue en el mismo sitio donde fue descubierto. Los indígenas de la religión lo contemplan con temor y no se atreven a tocarlo. Se ignora cuándo cayó este meteorito a la Tierra. También en Sudáfrica se conserva la huella mayor de un meteorito: un cráter de 140 kilómetros de diámetro, que ha ido desapareciendo por la erosión. Debió caer a la Tierra hace unos dos mil millones de años.

Tal vez el más famoso y visitado de los cráteres que resultaron del impacto de un meteorito sea el de Flagstaff, en la región central de Arizona. Fue descubierto en 1893. Tiene una anchura de 1.220 metros y una profundidad de 250.

Enormes moles llegadas del espacio, como ésta de 300 kilos que cayó en Arkansas, llaman la atención por su tamaño descomunal, pero más importante resulta, en cuanto a peso total, la lluvia constante de micrometeoritos y polvo cósmico, que superan las cinco toneladas diarias y que podrán ocasionar en el futuro severas dificultades al planeta.

Se formó por el impacto de un asteroide de 40 metros y un peso de 300.000 toneladas, caído hace unos 50.000 años, cuando se supone que los nómadas venidos de Siberia no llegaban aún al continente americano.

El meteorito de Arizona estaba formado por hierro y níquel, es decir por el llamado *nife* que integra el núcleo de los astros, incluida la Tierra. De resultas del choque subió tanto la temperatura que lo fundió al instante y proyectó la materia hasta una distancia de 10 kilómetros. En el momento del impacto su velocidad era de 5 kilómetros por segundo. La energía resultante del choque fue mil veces superior a la desarrollada al estallar la bomba atómica el 6 de agosto sobre Hiroshima.

Lluvia diaria de partículas y polvo

De acuerdo con Eugene Shoemaker, del *Geological Survey* de Flagstaff, sólo cada 70 a 100 millones suceden impactos susceptibles de provocar catástrofes a nivel mundial. A cambio de esto, el material de menor tamaño, consistente a veces en polvo impalpable y partícuas diminutas, alcanza las 5 toneladas diarias, que antes de penetrar en la atmósfera habían tenido un tamaño mayor, pero el roce con la misma las hizo arder y las convirtió en polvo.

Esto significa que la Tierra atrae todo el tiempo partículas diversas y aumenta de peso y volumen. El aumento diario de 5 toneladas en el peso de nuestro planeta equivale a la caída de varios millones de meteoritos y que se traduce en unas 2.000 toneladas al año. Si consideramos que la Tierra tiene una edad de 4,6 mil millones de años, es fácil deducir que su peso ha aumentado considerablemente y que está expuesta a sufrir graves contratiempos en su estabilidad, en el momento menos pensado. Es otro más de los peligros que amenazan al planeta.

La ciencia diaria dice que la mayor parte de los asteroides se formaron al mismo tiempo que los planetas del sistema solar. Pero es incapaz de explicar dónde estuvieron todo ese tiempo ni qué hicieron. ¿Llegaron desde el más allá de los confines del sistema solar, acompañando a los cometas que orbitan en torno al Sol? ¿Resultaron de la fragmentación del planeta que se encontraba entre Marte y Júpiter?

Se ignora cuántos son estos asteroides, porque si bien los hay de gran tamaño, apreciables por el telescopio, otros resultan invisibles. Pero puede afirmarse que superan en número los 50.000. El primero fue descubierto la noche del 1º de enero de 1801 por el italiano Giuseppe Piazzi y recibió el nombre de Ceres. Tiene 700 kilómetros de diámetro. Tanto éste como los demás, de menor tamaño, giran en torno al Sol, describiendo una órbita elíptica. Harrison Brown, de la universidad de Chicago, hizo un catálogo de estos asteroides y llegó a la conclusión de que, si se integraran en un bloque, formarían un planeta de tamaño semejante al de Marte, o algo mayor.

Hay otros 10.000 asteroides en el sistema solar, que acompañan al planeta Venus y pudieron haber resultado de un choque de este cuerpo contra otro que existió antes en el lugar que ahora ocupa (con lo cual parece darse la razón a la teoría de Velikovsky). Describen órbitas siempre iguales, pero en planos que no coinciden exactamente. Esta situación los expone a chocar entre ellos con mayor facilidad. De suceder un

En la antigüedad se miraba a los cometas con temor y se les atribuía el anuncio de todo género de calamidades. En realidad, no puede decirse que los cometas representen un peligro para la humanidad, son sólo fenómenos curiosos que nos agradaría contemplar con mayor frecuencia.

choque cerca de la Tierra, serían atraídos por nuestro planeta. Estos asteroides venusinos reciben el nombre de Earth Crossers.

Semejantes a estos asteroides son los Earth Grazers, en número de una docena, que se acercan a la Tierra hasta una distancia de 3 millones de kilómetros. Uno de ellos llegó en 1947 hasta los 150.000 kilómetros, que equivale a la mitad de la distancia entre la Luna y la Tierra. Poseen un diámetro de un kilómetro y cualquiera de ellos, de desviarse de su órbita y estrellarse contra la Tierra, liberaría una energía de 150.000 megatones. Perforaría la corteza terrestre y saldría magma del interior del planeta, en especial si esto sucediera en el mar. Una gigantesca marejada barrería entonces los continentes, destrozando las ciudades costeras. La materia dispersada en la atmósfera oscurecería el cielo durante varios años, provocando dramáticos cambios del clima.

Además de estos dos tipos de asteroides es preciso citar el Canterbury Swarm — o también enjambre de Canterbury —, que se desplaza por el

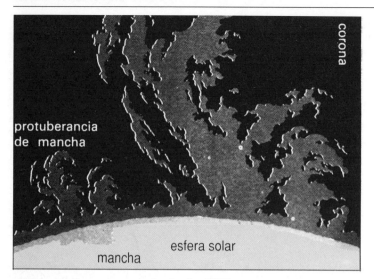

protuberancia de mancha

corona

esfera solar

mancha

sistema solar y que en junio de 1985 pasó a sólo 30 millones de kilómetros de la Tierra. Está formado este enjambre por miles de objetos de un kilómetro de diámetro, que pudieron resultar de la fragmentación de un astro desconocido. Se le culpa del desastre de la Tugunska siberiana —todavía no se ponen de acuerdo los sabios acerca del verdadero culpable— y de una lluvia de meteoritos caída en 1975 sobre la Luna.

Disienten de lo anterior Victor Clube y Bill Napier, astrónomos del Observatorio Real de Edimburgo. En su opinión, el desastre siberiano se debió al impacto causado por un fragmento de la cabeza del cometa de Encke. Este cometa se aproxima a la Tierra cada 3 años y 4 meses. Nadie parece darse cuenta de que representa una auténtica amenaza. Los mismos astrónomos afirmaban, en julio de 1982, que gran parte de los cataclismos sufridos por la Tierra han sucedido cada 100 millones de años. La Tierra ha venido chocando, periódicamente, contra algún cuerpo de 10 kilómetros de diámetro, a una velocidad de 30 kilómetros por segundo. Suficiente para destruir la vida terrestre en su mayor parte.

En 1982, dos asteroides estuvieron a punto de provocar muy graves perjuicios a la humanidad: el 23 de enero pasó uno de 800 metros de diámetro a 4 millones de kilómetros y poco después pasó otro de igual tamaño un poco más lejos. De haberse aproximado algo más, no habría habido tiempo de evacuar las zonas en peligro.

La catástrofe hubiera sido casi inmediata. Lo malo de estas colisiones

Aunque las llamaradas solares o protuberancias eruptivas representan un grave peligro, puesto que actúan sobre el clima y pueden provocar epidemias, sus efectos más nocivos se basan en que producen el viento solar y generan una lluvia de partículas mortales para el organismo humano. A pesar de ello las llamaradas solares tienen una enorme ventaja sobre otras manifestaciones cósmicas: obedecen a un ciclo preciso, que permite prever cuándo alcanzará esa actividad su nivel máximo.

desastrosas es que resultan imposibles d predecir con tiempo suficiente. Y aunqu se lograse hacerlo, de nada serviría. L única esperanza que tenemos es que lo astrónomos se equivoquen en sus cálculos Así sucedió con el famoso comet; Kohoutek, visto en enero de 1974 po varios científicos y que, en el último mc mento, nos hizo el favor de tomar u camino muy distinto al calculado por lo sabios matemáticos.

LA ACTIVIDAD SOLAR, A VECES MORTAL

Además de los efectos directos, el arribo violento de asteroides y cometas pro duciría otro efecto terrible en la vida terrestre: quedaría anulado el campo magnético que protege a la Tierra de las radiaciones cósmicas y los vientos sola res, cargados de peligrosos protones además de otros elementos no menos inquietantes, como son las supernovas y cualquier llamarada inoportuna de. Sol. Emitiría éste una peligrosa dosis de rayos X, rayos ultravioletas y rayos gamma que destruirían la capa de ozono que protege a la vida, además de un plasma de protones, electrones y heliones dotados con energía suficiente para atravesar el cinturón protector de Van Allen.

Está en constante actividad

Los antiguos consideraban al Sol un astro poderoso y tranquilo, que los colmaba de beneficios. Pero estaban en un error: es un cuerpo en constante actividad, en cuyo centro suceden a cada instante imponentes explosiones que alcanzan los 10 millones de grados centígrados. Se destruyen entonces, cada segundo, 4 mil millones de toneladas de hidrógeno y son proyectadas al espacio llamaradas que superan los 100.000 kilómetros. No hay duda de que algún día acabará de agotarse todo este hidrógeno y que el Sol se apagará. Pero faltan aún varios millones de años para que esto suceda.

De resultas de las llamaradas se produce el viento solar, descubierto en 1950 por el astrofísico I. Biermann al estudiar lo que sucede en la cauda de los cometas. Al actuar sobre éstos, el viento solar arrastra partículas infinitesimales

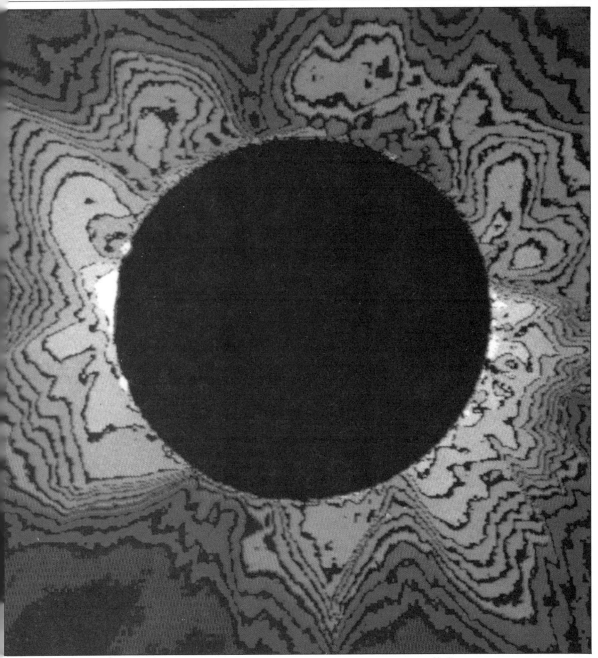

susceptibles de vencer a la atracción solar y de viajar por el espacio. Así como la luz y las ondas electromagnéticas procedentes del Sol tardan 8 minutos en llegar a la Tierra, a una velocidad de 300.000 kilómetros por segundo, las partículas que integran el viento solar, formadas por protones, electrones y heliones, lo hacen más despacio: a sólo 400 kilómetros por segundo.

Este viento solar sería una amenaza de no estar protegida la Tierra por el cinturón de Van Allen, que debido a la

La actividad del Sol es constante: a cada instante en su centro tienen lugar enormes explosiones cuya temperatura llega a los 10 millones de grados centígrados. La radiación electromagnética del astro rey es la principal fuente de energía de nuestro planeta.

fuerza centrífuga es más denso en el ecuador y mucho menos a partir del paralelo 40. El viento solar resulta más peligroso para quienes viajen en avión, por encima de los 15.000 pies, y para los cosmonautas, Además, el viento solar influye en la rotación de la Tierra, que se va frenando lentamente. La acción de este viento debió ser muy intensa hace millones de años, pero esa pérdida de velocidad de la rotación puede ser apreciada todavía, pese a haber disminuido notablemente.

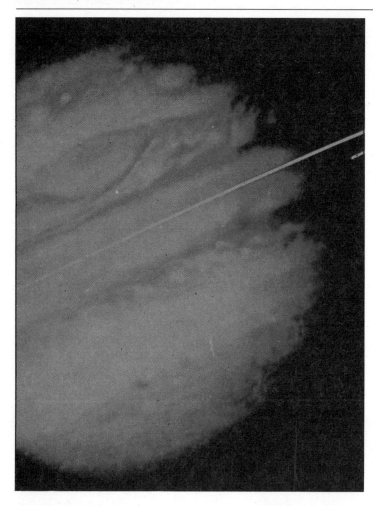

La actividad obedece a un ciclo

La actividad solar no es uniforme, sino que obedece a un ciclo que coincide, al parecer, con la aparición de manchas en su superficie. Galileo fue el primero en apreciar estas manchas solares, que no fueron del agrado de sus colegas ni de la Iglesia. No podía permitirse que algo tan perfecto fuera maculado. Hubo que esperar dos siglos para que John Herschel descubriera lo siguiente: entre dos cifras de máxima actividad solar se extiende un periodo de relativa calma, largo de 11 años y fracción. Y, según pudo ver, ese ciclo solar parecía influir en los cambios de clima, en el organismo humano y en la frecuencia de ciertas enfermedades, epidemias y algunos fenómenos naturales.

Tal vez en su tiempo miraron a Herschel con desconfianza, pero en la actualidad se acepta que el astrónomo inglés estaba en lo cierto. Y algunos científicos han ido más allá en sus afir-

Gracias a las ondas espaciales y a los modernos telescopios se ha podido apreciar mejor ciertas peculiaridades de Júpiter, el mayor de los planetas que giran en torno al Sol: el hasta ahora desconocido anillo, las lunas descubiertas recientemente y la famosa mancha que se desplaza continuamente. Pero queda por determinar de qué manera influye Júpiter en la actividad solar y si el ciclo de ésta se relaciona con la duración del año jupiteriano.

maciones. R. E. Hope-Simpson, de la Unidad de Investigaciones Epidemiológicas de Cirencester, en Gran Bretaña, estudió las mayores epidemias de gripe del siglo y vio que coinciden con los ciclos de máxima actividad solar. Solco W. Trompo, director del Centro de Investigaciones Meteorológicas de Holanda, añadió que los ciclos solares ejercen una curiosa acción sobre los procesos biológicos vitales, como son la tasa de sedimentación de la sangre y el nivel de albúmina y globulina gamma.

En 1980, el ciclo solar —calculado ya en 11 años y 29 días— alcanzó su máximo nivel y aparecieron numerosas manchas en el Sol. Se inició una cadena de intensos ciclones y terremotos, acompañados por erupciones volcánicas. Once años antes habían sucedido las violentas jornadas estudiantiles de París y México, así como creció el número de pacientes en los hospitales psiquiátricos. Y el 17 de mayo de 1957 hubo un fuerte terremoto en la ciudad de México y se llenaron de enfermos del corazón los hospitales de medio mundo.

Los franceses Marcel Poumailloux y Roger Viart determinaron en 1959 la estrecha relación que existe entre los infartos y la actividad solar. Las radiaciones solares producidas en ocasión de aparecer las manchas predisponen a la formación de coágulos subcutáneos, de los que pueden resultar bloqueos fatales en la arteria coronaria. Y sufren también los enfermos de tuberculosis, en los años de mayor actividad solar. Así que, si 1980 fue un año difícil, es de esperar que suceda lo mismo en 1991 y, en especial, en el año 2002.

Curiosas teorías en torno a la actividad solar

Se ha descubierto que cada 87,97 días asciende ligeramente la actividad solar, pero sin llegar al máximo. Curiosamente, son 87,97 días los que tarda el planeta Mercurio en describir su órbita alrededor del Sol. ¿Se trata de una simple coincidencia? El astrónomo australiano E. K. Bigg opinaba, en 1967, que esa intensidad sube cuando Júpiter y Venus se encuentran alineados con Mercurio y el Sol. Bigg había descubierto antes que las perturbaciones sufridas por Júpiter, que se traducen de manera periódica en mayor emisión de radiaciones susceptibles de

erturbar las comunicaciones por ra-
io, son más intensas de acuerdo con el
ngulo que este planeta forma con su
atélite Io.

De todo esto se sacó en consecuencia
–aunque no todos los astrónomos lo
ceptan— que la periodicidad de la ac-
ividad solar pudiera ser provocada por
úpiter, cuya órbita viene a ser sensi-
lemente igual al periodo entre los dos
untos álgidos de la actividad solar. No
ay duda de que la actividad solar tiene
na relación con la acción de cuerpos
jenos a nuestro sistema, además de los
ue pertenecen a él.

El 7 de agosto de 1972, cuando se
uponía que el Sol se encontraba en el
unto más bajo de su intensidad, pro-
lujo una inusitada serie de violentas
lamaradas y tormentas magnéticas.
¿Estaba acaso cambiando su polaridad
y el ciclo de 11,08 años iba a sufrir un
:ambio dramático? Vino a descubrirse
que el autor del desaguisado había sido
una estrella lejana a la que se le ocurrió
estallar de repente.

Dos años más tarde estalló otra estrella a considerable distancia, lo que se
tradujo en una fuerte emisión de plasma en el Sol. Desarrolló una energía
tan intensa como la consumida en 50
millones de años por nuestro planeta.
Por fortuna, sucedió el estallido de la
supernova en la cara del Sol opuesta a
la Tierra y sus efectos se dejaron sentir
con menor fuerza. De no ser así, nos
hubiera ido bastante mal.

Las radiaciones que llegan a la Tierra

La Tierra intercepta una gran parte de
las radiaciones solares y de otros cuerpos, del sistema solar o ajenos a él. Las
partículas radiactivas venidas del cosmos bombardean al planeta pero, por
fortuna, son detenidas en las capas más
densas de la atmósfera.

Producen estas radiaciones otras
secundarias que influyen en los organismos y podrían crear daños irreparables de no ser por la defensa natural ya
mencionada: el cinturón de Van Allen,
acerca del cual habrá que decir algo
más. Se encuentra a varios cientos de
kilómetros de la superficie terrestre y
fue descubierto gracias al *Explorer I*
lanzado al espacio el 31 de enero de
1958, cuando vivía todavía el genial
Wernher von Braun. El físico James

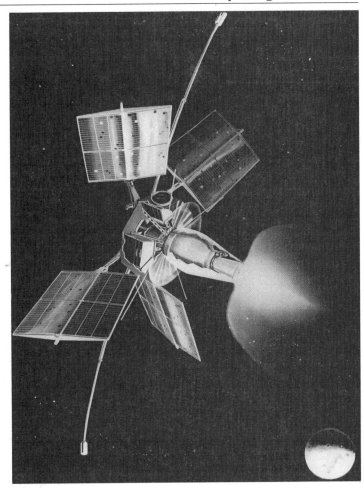

El satélite Explorer
33, con paneles
extendidos con los
que se alimenta de
energía solar, está
diseñado para
estudiar los
fenómenos
interplanetarios
desde la órbita
lunar. En ella puede
funcionar sin que le
afecten las
influencias del
campo magnético
de la Tierra, cuya
potencia es
cuarenta veces
superior al de la
Luna, pero este
campo magnético
cambia de
polaridad cada
10.000 años,
permitiendo el libre
acceso de las
radiaciones
cósmicas que
pueden causar
graves daños a los
seres vivos.

Van Allen estudió el cinturón y vio que
está formado por partículas radiactivas
que se mueven a enorme velocidad.
Van de la ionosfera terrestre a la
magnetosfera, situada a 240 kilómetros de la superficie, y se desplazan a
180.000 kilómetros por hora.

La intensidad del cinturón está re-
gida por un ciclo exacto. El Dr. Bruce
Heezen, de la universidad de Colum-
bia, afirmaba en la década de los 70 que
el campo geomagnético cambia de polaridad cada diez mil años. En el curso de
ese proceso, la faja Van Allen se debilita
paulatinamente, permitiendo el libre
acceso de las radiaciones cósmicas susceptibles de causar severos daños a
unas especies y de producir mutaciones
a otras.

Dentro de 1.200 años, la inversión
de la polaridad hará que el campo
geomagnético sea temporalmente
inexistente. La Tierra dejará entonces
de contar con la protección de ese cinturón. No sucederá esto en el año 2000,

pero nuestros descendientes sufrirán las consecuencias del gran cambio del cinturón. La humanidad volverá a pasar por uno más de los muchos momentos cruciales conocidos.

LAS CUATRO LUNAS Y OTRAS CURIOSAS TEORÍAS

En el códice prehispánico *Chimalpopoca* se dice que «el cielo se acercó un día a la tierra y todo quedó inundado». Las tradiciones de todo el mundo antiguo hacen alusión al cuerpo que cayó violentamente del cielo y provocó muerte y destrucción. ¿Se refería el viejo texto a un cometa o a un asteroide. ¿O era acaso otra cosa?

Un alemán de nombre Hans Hörbiger, a quien el propio Adolfo Hitler iba a considerar su maestro, respondió a esta pregunta, años antes de la II Guerra Mundial diciendo que el cuerpo en cuestión no fue otra cosa que la tercera Luna y que la que vemos iluminarse a veces en el firmamento nocturno es la cuarta de la serie.

Cuatro lunas para cuatro eras

Las cuatro eras geológicas que conocemos fueron, según el profesor Hörbiger, resultado de la aparición en el espacio de otras tantas Lunas, venidas desde algún punto desconocido del sistema solar, o tal vez de más allá. Cuando la primera de ellas se aproximó a la Tierra fue captada por ésta y se convirtió en su satélite. Comenzó a describir una órbita prácticamente circular, que debió suceder hace unos 500 millones de años. Esta primera Luna comenzó a describir una espiral, atraída por la masa superior de nuestro planeta, y terminó por estrellarse contra su superficie. Fue así cómo llegó a su fin la Era Primaria, hace 220 millones de años; la caída del satélite provocó impresionantes cambios en la Tierra, además de dar paso a la Era Secundaria.

Por supuesto que la caída no fue repentina, sino que aquella Luna tardó varios cientos de miles de años en desplomarse. Durante ese largo lapso de acercamiento gradual de la Luna su

Son muchos los códices precortesianos que hacen mención de los fenómenos cósmicos. Aparte de la descripción de sucesos cotidianos se ocuparon los códices de temas astrológicos, de la preparación de horóscopos o de la observación de fenómenos celestes que pudiesen traducirse en cataclismos.

atracción propició el intenso crecimiento de las mareas de todos los océanos y el tamaño de plantas e insectos.

No tardó en ser captada la segunda Luna, que caería varios millones de años más tarde sobre la Tierra, tal vez en el océano Pacífico, mucho más exten-

so que en la actualidad. Tuvo lugar esta caída hace 65 millones de años y resultaron de ella varios fenómenos: se extinguieron los dinosaurios, levantaron el vuelo las primeras aves y surgieron los mamíferos. Nació la Era Terciaria. Fue entonces cuando, en opinión de Hörbiger, aparecieron los primeros seres humanos sobre nuestro planeta.

Seguía así el alemán los pasos de Madame Blavatsky, la profetisa de la filosofía teosófica. Decía la rusa que los hombres de la Era Terciaria fueron de enorme estatura física y moral: habían heredado la fuerza psíquica de sus padres todavía animales y un sexto sentido que fueron perdiendo al paso de los años. Sucedió esto al comunicarse los hombres unos con otros por medio del lenguaje.

La tercera Luna se desplomó sobre la Tierra hace unos 150.000 años, provocando un espantoso diluvio. Solamente lograron salvar la vida quienes vivían en los picos más elevados del Himalaya, del Cáucaso y de la cadena montañosa que va de Alaska hasta la Patagonia. En estos lugares se conservan aún curiosas leyendas sobre antiguas inundaciones a las que sobrevivieron los hombres escogidos por los dioses.

Apareció entonces la cuarta Luna, la que conocemos, que habrá de caer algún día sobre el planeta, para desgracia de los enamorados sentimentales y de los lunáticos. Dará inicio, en ese día, la era número cinco, que todavía no sabemos cómo se llamará. Ni nos importa.

Así se expresaba el alemán Hans Hörbiger hace poco más de medio siglo y muchas son las personas que creen aún en sus teorías. Pero los actuales científicos, que suelen carecer de imaginación y no gustar de soñar, se ríen de ellas. Opinan que ha habido solamente una Luna y que hace unos 4 mil millones de años llegó a encontrarse a muy corta distancia de la Tierra. Exactamente a un radio terrestre, es decir, a 6.370 kilómetros. Por culpa del viento solar y por otras razones, se fue frenando la velocidad de rotación de la Tierra y el día pasó gradualmente de 9 a 24 horas de duración. La Luna fue ampliando su órbita y comenzó a alejarse de la Tierra. Y en la actualidad sigue distanciándose a razón de 5 centímetros cada año. Parece venirse abajo, así, la teoría horbigeriana de las cuatro Lunas, por lo menos en lo que a la presente se refiere.

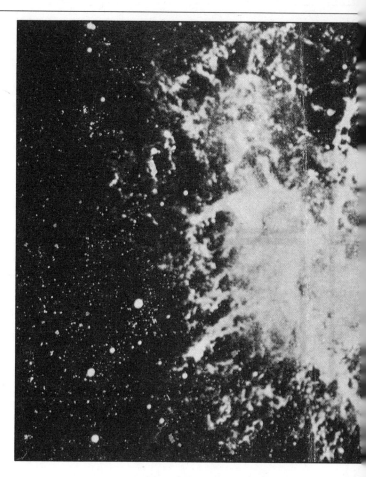

Los agujeros negros, otra amenaza

Se dijo en otro momento que una de las causas que pudieron conducir al estallido de la Tunguska, que tuvo lugar en 1908, pudo ser un microagujero negro que pasó rozando los bosques de Vanavara. El gran temor que ofrecen los agujeros negros reside en su invisibilidad y en que pueden aparecer de improviso, destruyéndolo todo. No existe un inventario de los agujeros negros que vagan por esta y otras galaxias, como sucede con los planetas, las estrellas, los asteroides, los cometas y los demás cuerpos del universo. Y no puede hacerse este inventario por una sencilla razón: resulta imposible verlos. ¿Qué son en realidad estos agujeros negros, para que inspiren tanto temor?

Cuando una estrella no se transforma en nova, supernova, estrella blanca o pulsar, lo hace finalmente en agujero negro, que no puede ser observado por los telescopios, porque no emite luz. En 1920 habían sido intuidos ya los agujeros negros, sin que se lograra descubrirlos. Para saber en qué consiste un agujero negro, es preciso recurrir a los ejemplos: los astros poseen una velocidad de liberación, relacionada con una masa, su volumen y su velocidad de rotación. Para que un astronauta pueda abandonar la Tierra a bordo de un cohete deberá desplazarse éste, en su despegue, a una velocidad de 40.000

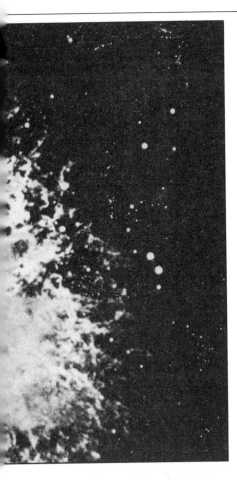

El cosmos es un universo vivo y aún desconocido en gran manera, que se modifica diariamente y está poblado por infinidad de acontecimientos (agujeros negros, novas, supernovas, púlsares, etc.). Arriba, una explosión sideral, que en muchos casos dará origen a nuevos o renovados cuerpos celestes.

kilómetros por hora. Si la velocidad es menor, regresará a la Tierra. Si es mayor, será proyectado al espacio. Si la velocidad se mantiene igual, el cohete se convertirá en satélite planetario. En este principio se basan los numerosos satélites artificiales: meteorológicos, de comunicaciones y otros que dan vueltas en torno a la Tierra.

El astronauta que, habiendo llegado a la Luna quisiera abandonar su superficie, no necesitaría dar a su vehículo espacial tan elevada velocidad, porque su masa es mucho menor que la terrestre. Pero sería mucho mayor de hallarse en Júpiter. A cada cuerpo le corresponde una velocidad de liberación, y también sucede lo mismo con las estrellas.

En una estrella pulsar, esa velocidad de escape es un tercio de la luz. Pero cuando la velocidad se aproxima a los 300.000 kilómetros por segundo, la luz emitida por la estrella jamás podrá escapar del cuerpo en cuestión. La estrella se convertirá en un astro oscuro. Un rayo de luz o cualquier clase de energía que pase cerca de ese cuerpo, de ese agujero negro, será absorbido por él.

El problema con los agujeros devoradores de cualquier tipo de energía es que resulta imposible observarlos y detectarlos directamente. Pero puede captarse cualquier radiación anómala en los cuerpos de su vecindario. Fue así como los satélites artificiales han podido captar un agujero negro en la constelación del Cisne. Los agujeros negros absorben todo lo que encuentran en su camino. Los astrónomos lo saben, pero no pueden explicar qué sucede con la materia desaparecida. Tampoco pueden precisar dónde se encuentra el agujero negro más cercano a la Tierra. Sin embargo, estiman que uno de muy pequeño tamaño debe andar dando vueltas por el sistema solar desde el día que se formó la galaxia.

¿Tropezará algún día nuestro planeta con un enemigo invisible, en el momento menos esperado ¿Se producirá entonces la desaparición de la Tierra entera? Nadie puede contestar a estas preguntas. Solamente puede decirse que, cuanto esto suceda, sabremos a dónde va a parar la materia devorada por el monstruo desconocido.

EN PUERTAS, OTRA EDAD DEL HIELO

Hace 40 millones de años, la Tierra que había estado sometida a una temperatura elevada y húmeda comenzó a enfriarse y 25 millones de años más tarde empezó a cubrirse la Antártida de una gruesa capa de hielo. Gran parte de ese hielo sigue intacto. Los hielos del Polo Norte, en cambio, son mucho más modernos: tienen apenas 3 millones de años de existencia.

Las glaciaciones se han ido alternando

Perforaciones realizadas en la Antártida demostraron que la Tierra ha sufrido, en los últimos 300.000 años, diversos cambios climáticos. Se ha averiguado también que se han venido sucediendo las glaciaciones, larga cada una de 100.000 años y separadas por un periodo interglaciar de tan sólo 10.000 años. Esto significa que las edades de

hielo han sido la norma, mientras los intervalos de buena temperatura han sido la excepción. Nosotros nos hallamos ahora en uno de esos intervalos.

Si concedemos al hombre una antigüedad ligeramente superior al medio millón de años, puede afirmarse que los primitivos antepasados del *Homo sapiens* fueron testigos de cambios climáticos aterradores y que debieron luchar con todas sus energías para sobrevivir. La última glaciación llegó a su fin hace apenas 10.000 años, cuando se ha dicho que se hundió la Atlántida y se sucedieron los cataclismos en el planeta. Y todo parece indicar, en opinión de los climatólogos, los meteorólogos, los astrofísicos y los glaciólogos, que nos aproximamos al inicio de una nueva edad del hielo.

En septiembre de 1976 se hacían ya funestos pronósticos sobre el inminente arribo de un nuevo periodo glacial. Reid Bryson, de la universidad de Wisconsin, y Hubert Lamb, de la universidad de East Anglia, afirmaron entonces que las fluctuaciones del clima eran aún casi imperceptibles, pero que se agravarían en los siguientes años — como así sucedió —, porque el planeta se dirige hacia una etapa de intenso frío.

En febrero de 1978 se recordaba que el descenso de la temperatura en la Tierra comenzó a hacerse patente 30 años antes y que la tendencia sería de continuar ese descenso, a pesar de que el anhídrido carbónico resultante de la combustión de carbón y gasolina aminoraba en parte el aumento del frío. Se calculó entonces que el hemisferio boreal ha venido enfriándose, desde 1950, en 0,16 a 0,32 grados centígrados cada 10 años. No es gran cosa por ahora, pero ese descenso de la temperatura se apreciará mejor en los primeros años del próximo siglo.

Está cambiando el campo geomagnético

Son numerosos los científicos que apoyan la tesis lanzada en 1920 por el yugoeslavo Milutin Milancovich sobre los cambios que está sufriendo el eje terrestre, así como el campo geomagnético. Y coinciden todos en culpar a ambos fenómenos de los cambios de clima y de la sucesión de glaciaciones. Es bueno saber que el campo geomagnético es origi-

Al infeliz hombre de las cavernas le tocó en suerte vivir en medio del frío intenso, con ligeros espacios interglaciares que le permitieran ir ligero de ropa. Nos encontramos en una de esas pausas, pero vamos hacia otro periodo glaciar, sumamente largo, y a uno de los muchos desplazamientos de los polos que aquejan periódicamente al mundo.

nado por las diferencias de inercia entre las sustancias de consistencia variable que componen el planeta. Así se expresan los científicos, pero podría explicarse de manera más sencilla: las capas líquidas de la superficie, que rodean al núcleo central rico en hierro, son sometidas a una enorme velocidad lineal.

A pesar de tardar 24 horas el planeta en girar sobre sí mismo, esa velocidad lineal alcanza casi los 500 metros por segundo. Se crea entonces, como si la Tierra fuera un motor eléctrico, una corriente y un campo magnético que influyen poderosamente en todo lo que

suceda en la superficie del planeta y en quienes en ella viven.

Milancovich había declarado que el eje terrestre cambia constantemente, de acuerdo con un ciclo que parece coincidir con el de las edades del hielo y con la excentricidad de la órbita terrestre en torno al Sol. Tal excentricidad está sujeta a un ciclo de 92.000 años —duración aproximada de cada glaciación—, al cabo de los cuales se regresa a los valores iniciales. Por otra parte, cuanto más se inclina el eje terrestre sobre el plano orbital, más pronunciadas son las diferencias térmicas entre las 4 estaciones: si el ángulo fuera de 90º, no habría 4 estaciones, sino una sola.

Nos vamos acercando a una nueva edad del hielo y algunas observaciones realizadas antaño y en el presente parecen apoyar esta creencia. Sin embargo, la baja de la temperatura no ha tenido siempre una relación con el cambio del campo geomagnético, sino que

De todos los satélites artificiales lanzados al espacio, tal vez sean los meterológicos, como este de la serie Nimbus de la NASA, los que mayores aciertos hayan obtenido: medida de los cambios del campo geomagnético, de la velocidad de rotación de la Tierra, de la actividad solar, de la temperatura cambiante y el clima en nuestro planeta.

ha sido provocada a veces por la actividad volcánica. Por ejemplo, una onda helada que recorrió el planeta en 1816 se debió al polvo lanzado al espacio por tres volcanes. Fueron ellos el Soufrière caribeño en 1812, el Mayón filipino en 1814 y el Tamora indonesio en 1815, que cubrieron el cielo de polvo impidiendo el paso a los rayos solares en una buena parte del mundo.

Los polos y la próxima glaciación

Thomas Crowley, de la universidad de Missouri, decía en septiembre de 1984 que la próxima edad de hielo sucederá por accidente. Será provocada por un cambio de la órbita terrestre o por el movimiento de rotación y balanceo que anima al planeta. Así, daba la razón a Milancovich con su teoría emitida 64 años antes. Una de las consecuencias de este dramático acontecimiento será el desplazamiento de los polos. Gracias al estudio de la lava solidificada, que tanto abunda en el mundo, se ha logrado averiguar algo muy interesante sobre los polos: hace 700.000 años, el Polo Norte se encontraba en el lugar ocupado hoy por el Polo Sur y se fue desplazando a continuación por Hawaii, Siberia y China, para encontrarse hace 200.000 años en el lugar que ocupa en la actualidad. Hace 400.000 años, el Polo Sur se hallaba en el suroeste de Africa, cubierto entonces de hielo. Y en la actualidad, parece que las zonas cálidas se van extendiendo hacia las polares, que se convertirán algún día en lugares casi paradisíacos.

Desde el inicio de la Era Terciaria se han producido 171 inversiones de los polos. Las consecuencias de estos cambios han ido más allá de una simple permuta de los puntos cardinales: han provocado serios transtornos del clima, así como terremotos y erupciones volcánicas y modificaciones del equilibrio energético de la Tierra en el espacio y del campo geomagnético, con resultados fatales.

Los satélites artificiales han descubierto recientemente una disminución en la intensidad del campo geomagnético, lo que permite suponer que se está gestando un nuevo cambio de la polaridad. El satélite Magsat, lanzado al espacio con este fin, en octubre de 1979, demostró que, de seguir el ritmo actual, los polos cambiarán dentro de 1.200 años y que la aguja de la brújula señalará entonces el Polo Sur en lugar de hacerlo al Polo Norte. Esta catástrofe coincidirá con el punto más bajo de la faja de Van Allen. Pero esto no sucederá, por supuesto, en el mes de julio de 1999.

A partir de 1970, la Tierra comenzó a girar más lentamente. Los relojes atómicos indicaron que el día es ahora varias milésimas de segundo más largo. Cualquier cambio en la velocidad de rotación de nuestro planeta alterará la fricción entre la atmósfera y la superficie, afectando a ambas. Como consecuencia de esta fricción, la temperatura se elevará medio grado, para descender bruscamente, rumbo a la pequeña edad del hielo. Tal fue el mensaje lanzado en 1984 por un equipo de investigadores franceses dirigidos por el ya citado Dr. Vincent Courtillot.

Añadieron que, a partir de 1990, la temperatura se elevaría en todo el pla-

Satélite Tiros X observando la Tierra. Así nos ayudarán a conocer por anticipado el momento en que debamos convertirnos otra vez en cavernícolas.

neta y que las fluctuaciones geomagnéticas que tuvieron lugar en 1960 en el núcleo terrestre dieron como resultado que, 10 años más tarde, se produjera una reducción en la velocidad de rotación de la Tierra. Como puede verse, los científicos no siempre coinciden en ciertos puntos, pero en algo se han puesto todos de acuerdo: el mundo pasará dentro de unos años por momentos sumamente difíciles y que los cataclismos se van a suceder, provocados por causas externas al planeta o generadas en él mismo.

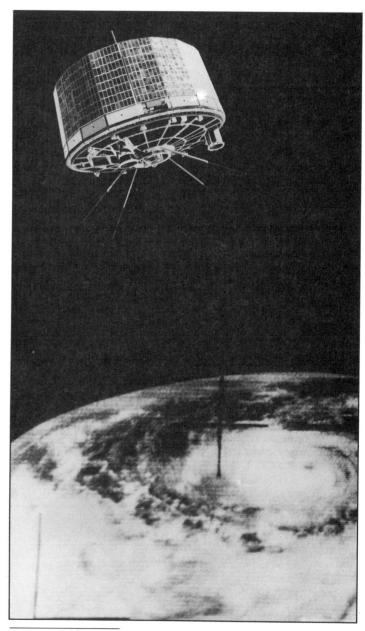

LA TIERRA SE ESTÁ TRANSFORMANDO

Los científicos no siempre se ponen de acuerdo. Desde los tiempos de Pierre Simon de Laplace (1749-1827), creador de una teoría sobre el origen del sistema solar, se vino creyendo que la Tierra se arruga como una manzana puesta al sol y que las montañas resultaron de ese encogimiento. Todavía en la década de los 80 hubo sabios que apoyaron esta teoría pasada de moda. Unos de ellos fue Ray Lyttleton, del Instituto de Astronomía de Cambridge, quien afirmaba que los terremotos son provocados por las arrugas que afectan a la Tierra. Añadía Lyttleton que el radio actual del planeta es 370 kilómetros menor que hace varios millones de años.

En general, la ciencia oficial opina de distinta manera sobre la causa de los terremotos, basándose en los estudios realizados a partir del Año Geofísico Internacional 1957-1958 y en la teoría lanzada a comienzos del presente siglo por un alemán de nombre Alfred Wegener. En su tiempo nadie le hizo el menor caso, porque ni siquiera era geofísico. Ha costado un buen número de años aceptar que Wegener no andaba desencaminado.

Los continentes van a la deriva

La Tierra ha sufrido continuas transformaciones desde el momento de formarse como planeta del sistema solar, hace unos 4,6 mil millones de años. Uno de los cambios más significativos comenzó a producirse hace apenas 200 millones de años, cuando puede decirse que el planeta estaba ya viejo. Sucedió esto antes de nacer el primer antepasado del hombre.

Acababa de iniciarse la Era Secundaria. Las tierras que emergían del océano integraban un solo continente, al que Wegener llamó Pangea, rodeado por un solo mar, la Panthalassa. De manera gradual y a veces violenta, esa Pangea comenzó a fragmentarse, tal vez debido al desequilibrio que representaba un solo bloque continental, enorme, en un solo punto del globo.

Esto debió agravarse debido al bombardeo de diversos asteriodes y dio como resultado que las diversas partes

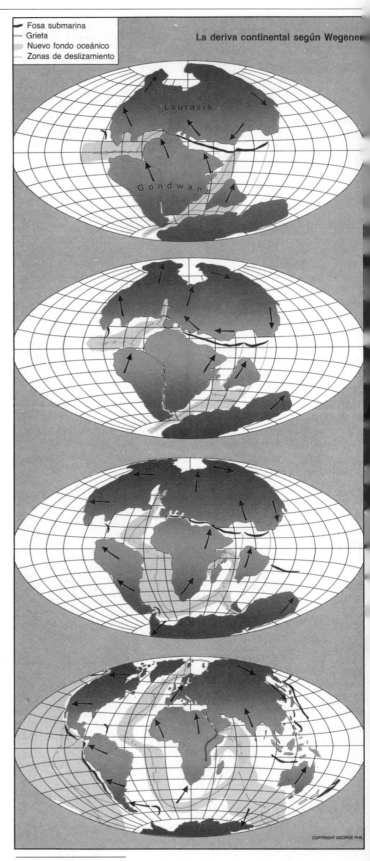

Fosa submarina
Grieta
Nuevo fondo oceánico
Zonas de deslizamiento

La deriva continental según Wegener

Laurasia

Gondwana

COPYRIGHT GEORGE PHIL

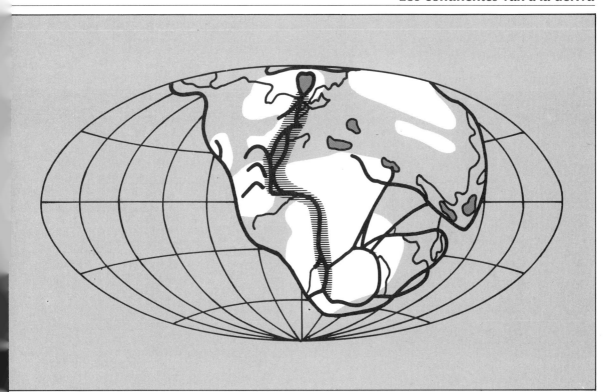

resultantes de la fragmentación tomaron a su vez diferentes caminos.

América del Sur, que había formado parte de África, se separó de este continente y se alejo hacia el oeste. Imitó su ejemplo, algún tiempo después, la América del Norte unida a la Europa occidental, junto con la región del Caribe, y ambas masas continentales fueron a unirse en el istmo de Panamá. Si se observa las costas atlánticas de los continentes afectados —en especial en un globo terráqueo—, se aprecia cómo los perfiles parecen encajar.

Se desprendieron también Australia y la Antártida, de la costa oriental de África —la isla de Madagascar lo pensó mejor y prefirió quedarse muy cerca de ese continente—, así como el que se llamaría Decán. Hace unos 60 millones de años, el Decán se desplazaba hacia el Asia meridional a una velocidad de 15 centímetros al año. Tres millones de años más tarde había recorrido 500 kilómetros. Empezó a frenar la velocidad, que se redujo a 5 centímetros al año. Chocó finalmente contra Asia y siguió avanzando. Levantó la tierra y se originó el Himalaya, cadena montañosa que sigue creciendo.

El movimiento ha recibido el nombre de subducción y se ha podido apre-

La Pangea, o continente único, tal como lo imaginó Alfred Wegener. Comenzó a fragmentarse separándose América del continente afroeuropeo, mientras lo hacían también la India y Australia, que viajarían más tarde hacia el este flotando sobre unas gigantescas placas tectónicas. Sobre estas líneas, la teoría de los continentes a la deriva, ideada a comienzos de siglo por A. Wegener, combatida por sus colegas, y finalmente aceptada. Estos dibujos ofrecen las diversas etapas de la deriva y muestran la huella dejada por los puntos de fragmentación, que es donde se originarían los actuales terremotos y erupciones volcánicas.

ciar en otros lugares del planeta. Gracias a la acción de un rayo láser reflejándose en un satélite artificial, la NASA logró medir la deriva de los continentes. Las plataformas continentales —llamadas también placas tectónicas— norteamericana y euroasiática se alejan una de otra 1,5 centímetros al año, para acercarse después, en un curioso movimiento de vaivén. Mucho más intenso es el movimiento de desplazamiento del Decán, de 5 metros al año, del que resulta un fenómeno de enorme interés —además del crecimiento constante de la cadena montañosa del Himalaya—, como son los numerosos terremotos que estremecen a cada instante el norte de la India y China.

Como resultado de estos cambios de la corteza terrestre, unas tierras se hundieron en el mar y emergieron otras. Todos los océanos se han visto sujetos a severas transformaciones y más aún los mares pequeños, como el Mediterráneo, que fue antaño un lago hasta que se rompió el istmo de Gibraltar y se precipitaron en él las aguas del Atlántico. Algo semejante debió suceder con el lago del Caribe, convertido en mar interior al separarse los continentes.

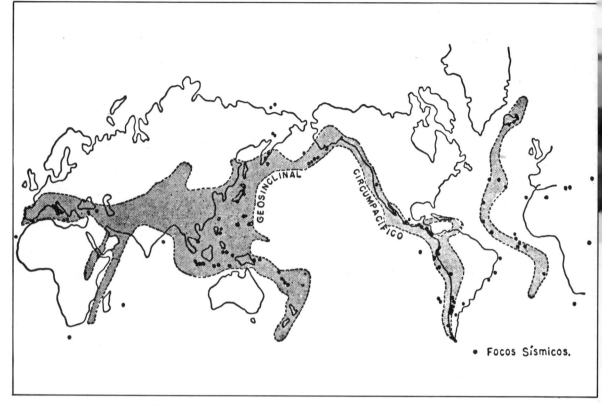

GEOSINCLINAL

CIRCUMPACÍFICO

• Focos Sísmicos.

En las cumbres del Himalaya, cubiertas hoy por los hielos eternos, se han descubierto conchas marinas y algo semejante ha ocurrido en los Andes: en las orillas del lago Titicaca han aparecido también restos de animales marinos; demuestran que estuvo antes al nivel del mar. Los geólogos afirman que este levantamiento andino se produjo hace varios millones de años. Los esoteristas creen, en cambio, que sucedió hace unos 12.000 años, cuando la Tierra se vio estremecida por muy fuertes terremotos. Añaden que la ciudad de Tiahuanaco se hallaba entonces en su apogeo, pero al encontrarse sus habitantes a 3.800 metros sobre el nivel del mar abandonaron el lugar. Se inició entonces la decadencia de esta cultura excepcional.

En el estado de Minnesota han aparecido huesos de ballena y lo mismo ha sucedido en la región de los Grandes Lagos. Sin embargo, la región lacustre de Canadá se encuentra a 200 metros sobre el nivel del mar y a 1.000 kilómetros de la costa. En cambio, a lo largo de La Florida, Nueva Inglaterra y Nueva Escocia, y también en las cercanías de las islas Bermudas, la presencia de árboles sumergidos demuestra palpa-

La zona punteada, que corresponde a los lugares donde se fragmentó la Pangea, es también donde se encuentran los volcanes y se producen los terremotos, fenómenos muy afines. La mayor parte de los terremotos han sido submarinos, así como los volcanes conocidos se encuentran casi todos a muy corta distancia del mar.

blemente la pasada existencia de bosques antes de hundirse bajo el océano.

Cuál es el origen de los terremotos

La superficie del planeta es un mosaico de placas de 100 kilómetros de espesor que flotan sobre el magma. Se separan, sufren fricciones, se hunden unas bajo otras, en constante movimiento provocado sin duda por el movimiento de rotación de la Tierra. Resultan de ello los terremotos. El estudio de esta tectónica permite comprender los fenómenos sísmicos, así como explica la distribución de terremotos por todo el planeta, de acuerdo con una línea que da vueltas al mundo.

Esta línea, llamada de fuego, recorre el continente americano a lo largo de su costa del Pacífico, desde Alaska hasta el Cabo de Hornos. A la altura de México se abre un ramal que toma la dirección del Caribe y llega hasta la otra orilla del Atlántico. A la mitad del trayecto, en el preciso lugar de donde debieron desgajarse las dos Américas de Europa y África, una ramificación toma camino del sur hasta la Antártida, mientras la otra se dirige al norte y llega a las costas de Islandia, considerada la isla volcánica por excelencia.

Se interna la línea en el mar Mediterráneo, después de pasar entre las Azores y las Canarias, y pasa por Sicilia y el sur de Italia, regiones ricas en volcanes y terremotos intensos. Prosigue la línea a Turquía e Irán y sale poco después al océano Indico para llegar a las cercanías de Nueva Zelanda, de donde se desplaza hacia Indonesia, China y Japón. Penetra más tarde en las islas Kuriles y las Aleutianas y luego en Alaska.

Esta línea de fuego ha sido determinada gracias a los numerosos estudios realizados en la superficie terrestre y en el fondo del mar. Ha sido confirmada, recientemente, por Don Anderson, del Caltech, y por Adam Dziewonski y John Woodhouse, de la universidad de Harvard. En 1984 estuvieron anotando la temperatura en diversos puntos del suelo marino y terrestre. Descubrieron que coincidían los puntos de elevada temperatura con la línea de fuego que da la vuelta a la Tierra.

Existen diversas teorías para explicar el origen de los terremotos y todas tienen elementos en común: el magma y el desplazamiento de las placas tectónicas, a los que habría que añadir uno muy del agrado de los astrólogos: la acción de las mareas.

Se ha aceptado que se producen los seísmos cuando las rocas, de la corteza terrestre o de las capas superiores del manto conocido como litosfera, se rompen de repente a causa de las intensas presiones a que son sometidas por las fuerzas intertelúricas. Esta ruptura brutal determina un movimiento que se propaga en ciertas direcciones. A veces una de las placas se introduce bajo otra vecina y este fenómeno recibe el nombre de subducción.

De igual manera que se ignora cuándo y dónde sucederán estas presiones y subducciones, tampoco puede predecirse cuándo y dónde tendrá lugar un terremoto. Solo hay una certeza: que ocurrirá dentro de los límites de la zona de desastres conocida.

Se ha dicho también —se ocuparon de decirlo en la década de los 70 Robert Burns y un equipo de científicos que navegaban frente a Perú— que los seísmos se producen cuando el magma volcánico, o material fundido que existe bajo las cordilleras submarinas, sale al

Entre las múltiples teorías elaboradas acerca del origen de los terremotos se encuentra la siguiente, un tanto osada: hay debajo del suelo marino un manto de unos 3.000 kilómetros de masa cristalina sólida, cuya parte superior está integrada por metales, rocas y un magma semilíquido sobre el que actúan enormes presiones, temperaturas elevadas y los astros, especialmente el Sol y la Luna.

exterior desde una profundidad de 200 kilómetros. La presión produce entonces fracturas de las que resultan ondas sísmicas.

Otra explicación, algo aventurada, dice que, debajo del suelo marino, se extiende un manto de 3.000 kilómetros de masa cristalina sólida. La parte superior de este manto está formada por metales, rocas y un magma semilíquido, sometidos a enormes presiones y elevadas temperaturas. Hasta ese magma llega la influencia de los astros, en especial del Sol y de la Luna. Resultan mareas semejantes a las oceánicas. No es esta teoría tan absurda, puesto que el magma semilíquido tiene un espesor de 200 kilómetros, 20 veces mayor que la profundidad media de los océanos y ya sabemos que la atracción lunar es por regla general la causa de las mareas en el mar.

Es lo que opinan los astrólogos y también, aunque parezca mentira, algunos científicos soviéticos seguros de que la actividad sísmica en el planeta obedece al mismo ritmo que la actividad solar y a la posición de los cuerpos

celestes con respecto a la Tierra. La corteza terrestre, añaden, está vibrando continuamente, a causa del oleaje marino, y esto afecta al magma. Curiosamente, la actividad sísmica crece en intensidad después de producirse las fuertes mareas.

En 1959, Rudolf Tomaschek, presidente de la Unión Geofísica Internacional, quiso estudiar la posible relación que pudiera existir entre los planetas del sistema solar y los terremotos de la Tierra. Descubrió uno en especial que parece influir en los terremotos. Se trata de Urano. Con esto parecía dar la razón a los astrólogos del pasado, que habían concedido una enorme importancia a este planeta.

¿CUÁNDO SUCEDERÁ EL PRÓXIMO TERREMOTO?

El hombre ha buscado, desde siempre, la forma de saber qué le deparará el futuro, seguro de que podrá encontrar elementos para oponerse a él y salvar la vida si ese futuro llega a amenazarla. Desea saber si morirá joven o viejo, si se

La brisa que aparece de improviso, el aumento de la temperatura o la agitación de las aguas de una charca o una laguna son algunos de los síntomas, no siempre confiables, que parecen anunciar el inminente terremoto.

casará con una joven linda y acaudalada, si conservará largo tiempo la salud, si no sufrirá accidentes, si alcanzará la celebridad.

Y desea saber también si existe alguna manera de predecir los terremotos (si acaso vive en una zona afectada por estas catástrofes), para salir de ellos con bien, poner a buen recaudo sus pertenencias y tener tiempo de poner sobre aviso a sus amigos.

Los anuncios no siempre son válidos

Se conocen algunos métodos para predecir los seísmos. Todos han resultado un fracaso. Ciertas señales parecen presentarse horas, días o semanas antes de producirse el temblor, pero ninguna es confiable. Son éstas:

a) Sube la temperatura o se levanta una brisa semejante a la que precede a los fuertes chubascos.

b) Sufre deformaciones la corteza terrestre sin que haya tormentas de por medio.

c) Sube el nivel de los pozos, aparece el arcoiris y pierden fuerza los motores eléctricos.

d) La tierra lanza, desde sus profundidades, una corriente de iones que se

hace visible por la noche y fácil de detectar de día si se cuenta con instrumentos adecuados. Se oyen truenos que llegan del suelo.

A estos elementos podrán añadirse los de carácter psíquico, que tampoco son confiables. Los epilépticos, los médiums y quienes sufren una crisis emocional parecen intuir la inminente presencia de un terremoto. Pero no se trata de un método científico, pues acierta unas veces y falla la mayoría. Predecir un seísmo cae entonces dentro de la charlatanería, y si un científico se atreve a anticipar lo que va a suceder, es visto con desconfianza por sus colegas.

Así sucedió con tres científicos del laboratorio de Geofísica de la universidad de Texas, en Galveston. Masakazu Otake, Tosimatu Matumoto y Gary Latham predijeron el terremoto que, según ellos, ocurriría el 29 de noviembre de 1978 en Puerto Ángel, en el estado mexicano de Oaxaca. Nadie les prestó la menor atención. Ni antes del 29 ni después, porque nada sucedió.

Tampoco resultó en la antigua China, como medio para predecir estas catástrofes, el aparato inventado por el astrónomo Chang Heng en el año 132 de la era cristiana. Consistía en 8 dragones con la boca abierta por la que dejaba caer uno de ellos una bola, que caía en las fauces de una rana colocada debajo. El aparato era muy decorativo, pero no sirvió jamas para nada. Funcionaba solamente en el momento de la sacudida pero, eso sí, indicaba en que dirección se había producido el terremoto: la señalada por la boca que dejó caer la bola.

A veces los científicos han querido recurrir a la astrología para conocer el momento en que sucederá la sacudida. Steve Kilston y Leon Knopoff, investigadores californianos, analizaron los temblores sucedidos en el sur de California de 1933 a 1980 y llegaron a esta conclusión: tuvieron lugar, en su mayoría, a la luz del sol, de 6 de la mañana a 6 de la tarde, de preferencia cuando había luna llena, coincidiendo con el ciclo de 18,6 años, cuando la Luna se encuentra en su punto culminante en el firmamento con respecto a la Tierra.

Descubrieron también que las mareas se dejan sentir con mayor intensidad en las líneas sísmicas orientadas de

Es sabido que los animales perciben las señales de peligro y de cambios naturales con mucha mayor precisión que el hombre. ¿Quién no ha oído ladrar a los perros cuando hay luna llena? También son los perros los que, de alguna manera, responden anormalmente a la inminencia de un terremoto, escondiéndose, llorando lastimeramente o quedándose absortos.

norte a sur y que la próxima vez que la Luna alcanzara su posición más alta, sería en noviembre de 1987. Si se producía un fuerte terremoto en California o en cualquier punto del continente, tendría que ser por fuerza en aquella fecha. Nada sucedió en noviembre de 1987. Hubo que esperar dos años para que se produjera un temblor intenso en San Francisco, tanto que tuvo que suspenderse un partido de béisbol de la Serie Mundial.

Señales captadas por los animales

Helmut Tribitsch, profesor de fisicoquímica en la universidad libre de Berlín, opinaba que el cuarzo de las capas profundas de la corteza terrestre origina una corriente eléctrica cuando

es sometido a fuertes presiones. Este fenómeno, conocido como piezoeléctrico, se aplica en la fabricación de relojes y de instrumentos de a bordo en los aviones. Esa corriente eléctrica es captada por el organismo de algunos animales más sensibles a las cargas electrostáticas. Intuyen entonces que algo no anda bien allá abajo.

La ciencia oficial no termina aún de aceptar la existencia de esta capacidad de algunos animales para conocer por anticipado cuándo se estremecerá la tierra. Sin embargo, acepta que algunos poseen en el cerebro, o en alguna otra parte de su organismo, granos de magnetita, que para algo los colocó la sabia naturaleza en su cuerpo.

Antes de un terremoto suele suceder que los perros comiencen a ladrar furiosamente, como ocurrió en 1975 poco antes de un cataclismo en el sur de Italia. El ganado se dispersó, los pájaros enjaulados se lanzaron contra los barrotes, deseando escapar. Las ratas

No es un método científico, pero chinos y japoneses saben prestar atención a cualquier movimiento desordenado de carpas, bagres y otros seres acuáticos susceptibles de sentir las vibraciones superficiales que sobrevienen en vísperas de temblar la tierra. Los habitantes de la ciudad china de Haiking, que captaron en 1975 el mensaje lanzado por ciertos animales, pudieron ponerse a salvo antes de suceder el seísmo.

corrieron por todas partes, con entera libertad, porque los gatos habían huido de las casas.

En el invierno de 1955, ningún oso murió en Kamchatka de resultas de una fuerte erupción volcánica que llegó acompañada de temblores. Fueron avisados a tiempo por un misterioso sentido, cuando dormían su sueño invernal. Tuvieron tiempo de despertar y de salir al aire libre. La víspera del aterrador terremoto que destruyó en 1923 a la capital japonesa, los perros estuvieron aullando sin parar. Y en 1835, miles de pájaros cruzaron el cielo sobre la población chilena de Concepción, lanzando graznidos, mientras los perros abandonaban la ciudad. Poco después se desplomaban los muros de las viviendas sobre sus pobladores.

El 4 de febrero de 1975, que fue un año pródigo en terremotos, la ciudad china de Haiching fue destruida en su casi totalidad, pero no hubo víctimas que lamentar porque la población vio que los caballos quisieron abandonar los corrales, las ratas salieron a la calle, las gallinas brincaron hasta las ramas de los árboles, los patos se negaron a entrar en los estanques y las palomas abandonaron sus nidos. Los conejos se mostraron inquietos y los peces saltaban fuera del agua.

Extraña conducta de los peces

En la ciudad de Tashkent, capital del Uzbekistán soviético, el geólogo Vladimir Olchenko quiso sacar partido de estas peculiaridades y organizó centros de prevención de sismos, integrados por una fauna hipersensitiva. Vio que las hormigas abandonaban las profundidades de sus hormigueros poco antes del temblor, para no perecer aplastadas, y que los faisanes se mostraban alarmados. Ningún animal aceptaba penetrar en las viviendas humanas.

Pero los mejores indicadores han demostrado ser los peces, observados con el mayor interés en los países sujetos a terremotos. Los japoneses saben bien que los bagres y las carpas se agitan nerviosos poco antes de un temblor, y a veces hasta seis horas antes. Comienzan a moverse frenéticamente en las peceras. Es el momento de abandonar las casas.

El punto señala la localización del volcán Chichonal.

A los animales marinos les ocurre algo semejante, como si las ondas anunciadoras del seísmo se movieran con mayor facilidad en el líquido elemento que en tierra firme. Los animales suben a la superficie, como si huyeran de un peligro que los amenace allá abajo. Se ha visto a los pulpos arribar a las playas poco antes de estremecerse el fondo submarino y el mismo comportamiento extraño ha sido observado en langostas, anguilas y otras especies, así como en las ballenas. Sus extraños suicidios, para los que no se ha encontrado explicación, pudieran ser motivados por el pánico, al captar las ondas sísmicas venidas del fondo del mar.

Sin embargo, en ciertas ocasiones ningún nerviosismo mostraron los animales y, a pesar de todo, sucedió un fuerte terremoto. ¿Por qué falla a veces el mecanismo de advertencia? ¿Qué sucede para que en tales momentos sean incapaces de captar lo que no tardará en suceder?

Fue lo que quiso averiguar un grupo de sismólogos que se reunieron en 1975 en la universidad de California. Estudiaron este fenómeno, en busca de las razones que mueven a veces a los animales a predecir los terremotos. Se habló incluso de un sexto sentido. Es decir, que su habilidad psíquica representaría un papel importante en la pre-

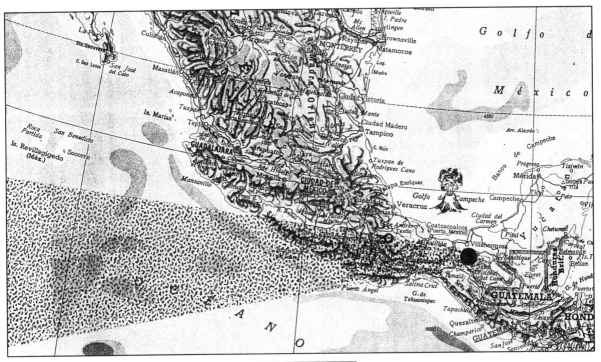

dicción de los seísmos. Pero, además de estas propiedades, se vino a descubrir que existen otras estrechamente ligadas con la influencia de los astros. Venía a darse así la razón, sin pretenderlo, a lo que había defendido la astrología tradicional: los astros influyen sobre los organismos de la Tierra.

Se descubrió que los bagres pueden captar los cambios del campo geomagnético que preceden al temblor, cuya intensidad depende de causas externas al planeta. Los científicos llegaron a la conclusión de que los animales poseen un mecanismo sensorial que capta aquellos cambios.

Pensaron entonces en lo conveniente que sería disponer, en todas las ciudades expuestas a sufrir terremotos, de un equipo de animales sensitivos, que serían estudiados a todas horas. Tal vez podría ser posible anticiparse a las sacudidas y salvar a la población. Pero este método sería únicamente válido en las ciudades menos pobladas. ¿Que sucedería en lugares sísmicos muy poblados, como Tokio, México o Los Angeles si se diera de improviso la alarma? El pánico que se apoderaría de los ciudadanos

El pánico acuciante y la indomable sensación de terror, han sido con frecuencia la causa de que ciertos hechos simples se convirtieran en grandes tragedias, por lo que es razonable calcular que, de producirse un terremoto en cualquiera de las urbes superpobladas, como Tokio, fuese el pánico el que ocasionaría un número de víctimas mucho mayor que el terremoto en sí.

provocaría sin lugar a dudas mucha más víctimas que el propio terremoto.

Si la humanidad desea saber en qu momento temblará la tierra, tendr que vigilar a los animales. Y no mostra pánico, que es contagioso.

Los volcanes representan un peligro

Los terremotos y los volcanes son las únicas manifestaciones violentas de la naturaleza netamente telúricas, a pesar de que la actividad solar parece influir en parte en su intensidad. En cambio, los ciclones, tornados, sequías, diluvios, inundaciones, glaciaciones y desertificaciones dependen de causas externas al planeta y, en especial, de la relación que lo une con el Sol y con otros cuerpos.

Estos fenómenos son superficiales y atmosféricos, mientras que los terremotos y los volcanes afectan a la superficie terrestre pero se originan en sus profundidades. Los volcanes se originan a profundidades mucho menores que los seísmos, razón por la cual resultan los segundos prácticamente imprevisibles por los métodos científicos. El volcán se localiza en un sitio y de él no se mueve. Además, es perfectamente visible. Un equipo de expertos vulcanólogos puede anunciar con suficiente antelación la inminente erupción de un volcán, porque suele avisar acerca de sus intenciones: en forma de fumarolas, pequeños temblores o aumento de la temperatura.

Resulta interesante el que la gran mayoría de los volcanes están dispuestos en islas, a corta distancia del mar así como en las profundidades de éste. Los volcanes submarinos han demostrado ser más numerosos de lo que se pensaba y, de igual, manera la actividad sísmica está más extendida en el fondo marino que en tierra firme.

Si bien los volcanes ocasionan en la actualidad menor número de víctimas que en el pasado, siguen provocando un grave problema que no ha podido ser combatido y que podría conducir, en cualquier momento, a serias catástrofes: influyen en el clima, a veces durante un par de meses y en ocasiones repercuten sus efectos a lo largo de tres o cuatro años. Tres erupciones que sucedieron en la década de los 80 vinieron a demostrarlo.

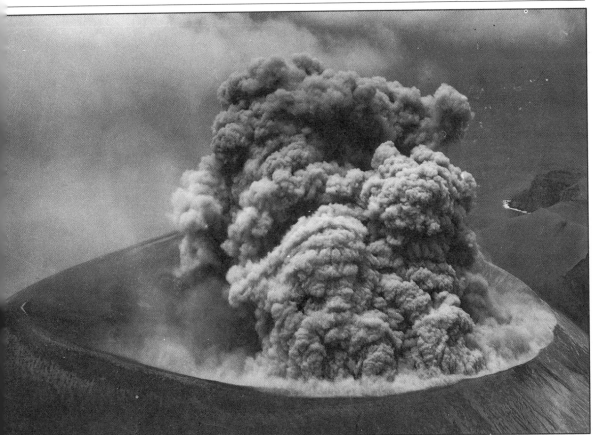

Fueron la del volcán de Santa Helena, en mayo de 1980, y otras dos en 1982: el Chichonal mexicano y el Galungang de Indonesia, en marzo y abril, respectivamente. En los tres casos fueron proyectadas al espacio enormes cantidades de cenizas, además de gases y ácido sulfúrico, que se elevaron hasta alcanzar una altura media de 12.000 metros. Se formaron nubes gigantescas que impidieron el paso, largo tiempo, a los rayos solares. Provocaron también dificultades a los aviones comerciales.

El volcán de Santa Helena se encuentra en el noroeste de Estados Unidos. Comenzó a despertar en marzo de 1980, después de 134 años de inactividad, y manifestó por primera vez su violencia el 18 de mayo. Una fuerte explosión pulverizó su cumbre de 3.000 metros y la redujo en 400. En cosa de minutos lanzó una nube de polvo y gases y comenzó a correr un río de lava. El calor producido devastó la región en un radio de 300 kilómetros.

La erupción del Chichonal se inició el 4 de abril de 1982. Este volcán, alto de 2.220 metros, se encuentra unos 700

La erupción del volcán Chichonal no se caracterizó por la abundancia de lava, sino por una insistente lluvia de cenizas. Cubrieron de polvo los campos contiguos, arruinando las cosechas, penetraron en las casas y formaron al ascender una pantalla que impidió el paso a los rayos solares. Los cambios de clima resultantes tardaron años en desaparecer.

kilómetros al sureste de la ciudad de México, en el límite de los estados de Chiapas y Tabasco. La última vez que se mostró activo fue 30 años antes. Sus laderas se habían ido cubriendo de vegetación. Se cultivaron los campos y se crió el ganado.

Pero, así como el Santa Helena avisó con tiempo y permitió desalojar a quienes vivían en las inmediaciones —murieron únicamente 62 personas que insistieron en no abandonar sus propiedades— y pudo ser estudiado desde el mismo momento de lanzar su primer chorro de lava, no sucedió lo mismo con el volcán mexicano. Hizo erupción inesperadamente y fue mal estudiado en los meses siguientes. Lanzó al espacio 500 millones de metros cúbicos de cenizas y polvo, 140 veces más que el volcán de Santa Helena, y la nube producida alcanzó una altura de 30.000 metros. Fue sin duda el acontecimiento vulcanológico más destacado, en su estilo, del siglo XX.

Ademas de los dramáticos efectos inmediatos, que incluyeron el éxodo inmediato de los campesinos y la formación de una gruesa capa de cenizas en el campo y en los poblados cercanos, hubo otros no menos importantes, de carácter climatológico. La nube se extendió formando una anchísima faja que cubría 20.000 kilómetros lineales, hasta las costas de África y de Arabia. Sus efectos fueron visibles en numerosos lugares del hemisferio boreal.

Los crepúsculos adoptaron colores fantásticos, a causa de la luz solar reflejada por los miles de millones de partículas en suspensión. La nube de polvo provocó una pantalla que redujo a la mitad la intensidad solar en ciertos lugares. Una parte de las radiaciones solares fue reflejada y devuelta a las altas capas de la atmósfera, mientras otra era absorbida y provocaba el calentamiento del aire. Frenó también el intercambio térmico y reflejó los rayos infrarrojos procedentes de la tierra, creando así un efecto invernadero.

En ciertos lugares se produjo el fenómeno contrario: descendió la temperatura, lo que se tradujo en un invierno más frío y en sequías intensas. Las consecuencias de carácter climático de las tres erupciones fueron muy semejantes a las que, 30 años antes, había producido un volcán de Siberia que hizo erupción en 1952. Era el Bezymiany, cuyas cenizas se esparcieron en un radio de 400 kilómetros y representaron un volumen de 500 millones de metros cúbicos de polvo volcánico. Gran parte de ese polvo se mantuvo suspendido en las altas capas de la atmósfera y llegó 4 días más tarde a Gran Bretaña, situada 12.000 kilómetros al oeste. Es de notar que las nubes de polvo desprendidas de los volcanes se desplazan siempre en sentido contrario al de rotación del planeta. Es decir, hacia el oeste.

La influencia del polvo tarda algún tiempo en desaparecer. Pero si una veintena de volcanes, distribuidos estratégicamente por el planeta, hicieran erupción al mismo tiempo y se comportaran como el Chichonal, podrían provocar una grave catástrofe, que no será causada por los volcanes, sino por un agente externo a la Tierra que influirá, además, en la actividad volcánica.

En agosto de 1986, el astrónomo Alfred Vidal-Madjar, del laboratorio interestelar de Verrières-le-Buisson, hizo un descubrimiento muy impresionante, que dio a conocer en el *Astrophysical Journal*. Decía que una enorme nube de polvo galáctico se

La erosión, el aumento de la población y el abandono de las tierras se ha traducido en hambrunas que dieron buena cuenta, en el pasado, de millones de seres humanos. Este viejo azote vuelve a cobrar fuerza, ahora que muchos campesinos del tercer mundo buscan la forma fácil de emigrar a las grandes ciudades, reduciéndose así la producción de alimentos.

dirige hacia la Tierra desde la constelación de Sagitario, a una velocidad de 20 kilómetros por segundo. Como esta nube se encuentra a 0,1 año-luz de nosotros, significa que alcanzará a la Tierra dentro de 1.500 años. Sin embargo, llegará a la altura del Sol en el año 2001.

Esta nube de polvo impedirá el arribo de los rayos solares a nuestro planeta. Provocará cambios dramáticos del clima y una pequeña edad de hielo. Por otra parte, el astrónomo norteamericano Richard A. Kerr descubrió que la luminosidad del Sol está decreciendo en 0,02% al año, por causas desconocidas. De seguir adelante este inquietante fenómeno, la pobre humanidad sufriría, sin tardar mucho, muy serias dificultades.

dentes cósmicos son, como ya se dijo, una permanente espada de Damocles que cuelga amenazadora sobre el hombre. Sabe éste que puede alcanzarlo, en cualquier momento, y acabar con su mundo y su vida. Y no ignora que los seísmos, los cambios de clima, la venida de una próxima glaciación podrían dar al traste con su civilización y los sobrevivientes tendrían que levantarse de las cenizas, como pudo haber sucedido con sus antepasados remotos.

Pero resulta que, a partir de este momento, deberá enfrentarse a una amenaza más cercana y dramática, de la cual es el único culpable, que está poniendo ya en peligro su sobrevivencia en la Tierra. De no enmendar el hombre su línea de conducta, cuanto antes, tal vez tengan razón los profetas del pasado que fijaron el año 2000 como el del fin del mundo.

Comienza a escasear la comida

Más de la mitad de la población mundial, que había sido rural, se está concentrando ya en las ciudades, y éstas crecen de manera desmesurada. Esta emigración de los campesinos está influyendo en la economía de los países subdesarrollados, donde se abandona la tierra. Deja ésta de contribuir a la alimentación de la población. El problema viene a agravarse por la falta de programas agrícolas, por los imprevistos climáticos y por la tala inmoderada de los bosques, que repercute en el régimen de lluvias. Se imponen las sequías y crecen los desiertos. La falta de alimentos causa la muerte por hambre de millones de seres humanos, en especial niños.

La concentración de la población en las grandes ciudades se torna infernal. Sucede en ellas lo contrario que en los países ricos, donde se produce una corriente migratoria que va de las ciudades a los suburbios y al campo. En 1985, 16 de las ciudades más pobladas del planeta pertenecían al tercer mundo, dentro de un total de 25. Ocupaba el primer lugar México, seguida de Sao Paulo. Para el año 2000 se calcula que la cifra de 16 se elevará a 20. Cuatro pertenecerán a América Latina —México, Sao Paulo, Rio de Janeiro y Buenos Aires, rodeadas todas de un cinturón de miseria—, 15 serán de Asia y otra pertenecerá a África: El Cairo, con

EL SUICIDIO DEL HOMBRE

Cuando los textos bíblicos y los oráculos de antaño hicieron vaticinios tan pesimistas sobre la suerte de la humanidad, se limitaron a culpar de ello a los terremotos y erupciones volcánicas, a los cometas, pestes y hambrunas, exclusivamente. A ninguno de ellos pasó por la imaginación que, desde mucho antes de llegar a su fin el siglo XX, varios peligros amenazarían a la seguridad de los seres humanos y que estos peligros serían provocados por ellos mismos.

Las nubes de polvo galáctico, las supernovas, los asteroides, las llamaradas solares, los cometas y otros acci-

una población monstruosa que superará los 13 millones de habitantes.

Los seres humanos se amontonarán en tugurios y en los cinturones que rodean a las grandes ciudades. Surgirán brotes de epidemias que diezmarán a la población. Se incrementarán — en realidad, está sucediendo ya— las tasas de criminalidad y de mortalidad infantil, y descenderá la media de vida probable. Cundirá el hambre, al crecer la población de forma vertiginosa, pero no así los alimentos. La humanidad deberá enfrentarse, a partir del año 2000, a un panorama desolador.

La violencia, a la orden del día

El hombre se aficiona cada vez más a la violencia en todas sus manifestaciones, y los medios masivos de comunicación se ocupan de estimular los instintos salvajes que todo ser humano lleva consigo. Se le recuerda que sólo triunfa aquél que posee armas en gran cantidad y que sabe matar con facilidad. El cine y la televisión ofrecen programas con muertes por centenares, con sujetos que portan armas poderosas y asesinan por placer.

En 1985, la humanidad gastó en armas mucho más de lo que representaba el total de la deuda externa del tercer mundo. Los países más endeudados son los mejores clientes. En lugar de reforzar su agricultura, su industria y su ganadería, adquieren auténticos arsenales. Y los países ricos no ven en ello ningún inconveniente. Es su negocio. Por fortuna, los países que fabrican armas sólo venden a los subdesarrollados armas convencionales. No se les ocurre entregarles bombas atómicas, ni armas bacteriológicas o genéticas. Pero estos países pobres se las arreglan, de alguna manera, para conseguirlo todo.

Suman 50 millones los muertos a consecuencia de guerras, desde que Caín mató a su hermano, pero las más sangrientas se han producido en los dos últimos siglos. Y no parece que vayan a terminar. Sin embargo, no parece que, tal como son las guerras conocidas, vayan a acabar con la humanidad. Mientras las guerras no sean atómicas, no hay por qué temer.

Pero, ¿qué sucedería si estallase una tercera guerra mundial?

UNA MUESTRA DE VIOLENCIA Y DESASTRE ECOLÓGICO, LA TENEMOS EN LA RECIENTE GUERRA DEL GOLFO PÉRSICO, HAMBRE, DESOLACIÓN, EPIDEMIAS, ES LO QUE DEJA TRAS DE SÍ UNA GUERRA POR EL PODER.

No es difícil tener bombas atómicas

Para el año 2000, nueve países, en su mayor parte tercermundistas, estarán en posesión de la fórmula para fabricar artefactos termonucleares. Serán ellos Pakistán, India, Sudáfrica, Argentina, Brasil, Alemania, Irak, Israel y Libia. Se ocupan ya de surtirles de cuanto necesiten los fabricantes de armas de los países desarrollados, con el beneplácito de sus respectivos gobiernos. Quienes pueden pagar el precio exigido, dispondrán de equipo y tecnología. Y si pueden conseguirlo buscarán la manera de obtener lo que les falta, de la forma que sea.

La prensa informó en años pasados que 100 kilogramos de uranio enriquecido, suficientes para fabricar cuatro

Suman ya una docena los países que muy pronto estarán en condiciones de fabricar sus propios artefactos termonucleares. Algunas personas de buen corazón piensan que es la mejor manera de conservar el mundo en equilibrio pacífico, pero son las menos.

bombas atómicas, desaparecieron misteriosamente en 1981 en la planta Numec, en Pensilvania, y que fueron a parar a Israel. A pesar de que los nueve países mencionados juran que solamente les interesa sacar provecho de la energía nuclear para sus instalaciones industriales y que jamás se les ocurrirá fabricar bombas termonucleares, es de temer que no sea así y que alguno de ellos tenga ya artefactos almacenados, listos para detonar.

Hay en el hemisferio norte unas 50.000 bombas almacenadas y, por si esto fuera poco, surgió en tiempos de Reagan el proyecto Guerra de las Galaxias, que no fue concebido para acabar con las guerras o proporcionar beneficios a la humanidad sino que perseguía un fin peligrosamente agresivo. Fue defendido por quienes iban a ganar con él millones de dólares y por

una docena de políticos, administradores y científicos medio locos.

Contando con el material adecuado, cualquier tecnología modesta puede fabricar una bomba de plutonio de 10 kilogramos, capaz de causar mayor destrucción que la de Hiroshima. Muchos de sus componentes se encuentran fácilmente en el mercado y ha quedado demostrado que no resulta difícil apropiarse de los elementos que le faltan a un país.

Las medidas sugeridas contra la proliferación de las armas nucleares, como las adoptadas en el Tratado de Tlatelolco — que Estados Unidos se negó a aceptar— y en otras reuniones de países amantes de la paz recibieron el apoyo más o menos decidido en la ONU e incluso se designó un organismo internacional para comprobar que la investigación careciera de fines bélicos.

De fundir las bombas atómicas los hielos polares, en una futura guerra a nivel mundial, numerosos países serían de inmediato cubiertos por las aguas. Figurarían entre ellos, de manera destacada, los Países Bajos. Los canales de Amsterdam alcanzarían un nivel sumamente alto y los turistas acudirían a contemplar los edificios sumergidos a considerable profundidad.

Nadie pareció tomar en serio estas medidas. Había mucho dinero invertido. No era cosa de tirarlo.

Por fortuna, los sistemas americano y soviético se encuentran equilibrados y no es de temer una confrontación a corto plazo entre ambas potencias. Pero existe el peligro de que se produzca un accidente y repique de improviso el teléfono rojo. Entre los países del Mediterráneo oriental, menos organizados, un conflicto surgido por cualquier nadería tendría consecuencias desastrosas. Se verían involucrados en su guerrita todos los países de la Tierra, poderosos o subdesarrollados.

La teoría del invierno nuclear

Si uno de estos días viene a estallar un conflicto nuclear, será a escala mundial. Por supuesto que el hemisferio

boreal será el más afectado, pues en él se encuentran los fabricantes de bombas y hay más almacenadas: Estados Unidos y la Unión Soviética poseen entre los dos el 95% de las bombas atómicas de todo el mundo.

Si las dos superpotencias se lanzaran una a la otra el equivalente de 15 mil millones de toneladas de TNT, el intenso calor que resultara podría fundir los hielos polares. El hielo antártico equivale a 720 veces el agua contenida en la atmósfera en forma de vapor y nubes. El nivel del mar se elevaría, sin tardar, 60 metros. Serían sepultadas bajo las olas Nueva York, Nueva Orleáns, Miami, Los Angeles, Buenos Aires, Rio de Janeiro, Londres, Tokio, Shangai, Alejandría, Amsterdam, Estocolmo, Leningrado y muchas ciudades costeras más. Desaparecería una buena parte de otras que se extienden al pie de una montaña, como Barcelona, Marsella y Nápoles, y de algunos países como Holanda y Dinamarca emergerían contados puntos. Crecería a la vez la cuenca de los ríos más caudalosos del planeta Mississippi, Nilo, Amazonas, Ganges y Yang-tse-kiang.

Pero esto no será todo. La serie de estallidos proyectará al espacio 225 millones de toneladas de partículas de polvo, que impedirán la llegada de los rayos solares. A este polvo habrá que añadir el humo producido por cientos de miles de incendios, que se traducirán en gigantescos torbellinos formados por partículas infinitesimales de carbón. Un elemento ideal para absorber la luz del Sol.

Como consecuencia de la permanencia de las partículas en el espacio, se desplomará la temperatura en 20 a 40 grados centígrados, lo que conducirá a un frío polar, a un invierno nuclear, a una noche prolongada. Sus efectos climáticos y biológicos serán desastrosos para la humanidad. En cuestión de semanas morirá una gran parte de la vida acuática, declinará la producción de plancton y desaparecerán los peces y plantas marinas, así como los cultivos y

tendrá tiempo de enterrar y crecerán desmesuradamente los problemas psicológicos.

A los incendios, ondas de choque, radiaciones y cambios del clima habrá que añadir otro grave inconveniente: los compuestos químicos que resulten de tantos estallidos destruirán la mitad de la capa protectora de ozono y penetrarán en la Tierra diversas radiaciones peligrosas venidas del cosmos.

No todos aceptan esta espantosa teoría

La teoría del invierno nuclear fue presentada por primera vez en la ciudad de Washington, el 31 de octubre de 1983, en una reunión convocada por el grupo conocido como TTAPS. Estas siglas corresponden a la inicial de sus miembros más distinguidos, siendo la última la del famoso Carl Sagan. Presentaron el panorama desolador que espera a la humanidad y llegaron a esta conclusión: de no reducirse el armamento nuclear existente, se llegará a tan dramática situación.

Quienes se opusieron a esta teoría explicaron que la erupción del volcán Krakatoa, sucedida en agosto de 1883, liberó una energía igual a la mencionada por el grupo TTAPS y, sin embargo, las consecuencias del desastre se limitaron a un solo lugar; y las cenizas cayeron en su gran mayoría a corta distancia.

Pero ni uno solo de los detractores pensó en que, de haber hecho erupción un millar de volcanes en diversos puntos del planeta, las partículas de silicatos y ácido sulfúrico, que poseen un bajo índice de absorción de los rayos solares, no hubieran creado tantos problemas como una explosión nuclear a escala mundial, porque ese índice se elevaría entonces de manera alarmante.

El más importante de los ataques a la teoría del invierno nuclear fue publicado el 23 de agosto de 1984 en la revista británica *Nature*. Iba firmado por Edward Teller, el padre de la bomba de hidrógeno. Este científico trabaja para el laboratorio Lawrence Livermore, empresa del Gobierno que fabrica armas nucleares. Afirmaba este hombre que todo son exageraciones y que, aparte ciertas molestias sin importancia, nada sufrirá la humani-

frutales. Se congelarán lagos y ríos, privando de agua potable a la población. La oscuridad impedirá a los vegetales realizar la fotosíntesis necesaria para su desarrollo.

Además de esto, perecerán no menos de mil millones de seres humanos de resultas de los impactos directos, de la radiactividad y del intenso calor. Otros tantos quedarán tan maltrechos que les seguirán de inmediato al otro mundo. Y en los siguientes meses habrá otros 2 mil millones y medio de bajas, que perecerán de hambre o frío.

Los sobrevivientes del holocausto, que como decía Nikita Kruschev envidiarán a los muertos, se enfrentarán a un caos de proporciones gigantescas: quedarán destruidas las infraestructuras políticas y socioeconómicas, las fuentes de energía, alimentación y agua, las relaciones con los países del hemisferio sur. Habrá que atender a cientos de miles de heridos, proliferarán las enfermedades y las epidemias por culpa de los muertos que nadie

En la actualidad, es difícil encontrar a alguien que desconozca los pros y los contras de las centrales nucleares, pero más difícil aún es lograr una opinión unánime. Sin embargo, aunque hay quienes se inclinan por sus bondades como indiscutibles fuentes de energía, se dice que el catastrófico potencial de los últimos accidentes está inclinando la balanza hacia el lado de quienes las señalan como una de las peores amenazas para el hombre y su entorno.

dad en caso de estallar unas cuantas bombas termonucleares como las que fabrica su empresa.

A este Teller, afiliado al partido republicano y gran amigo de Reagan, le viene de familia su macabro sentido del humor. Su antepasado el senador Harry M. Teller mandó, a comienzos del 1898, una carta al presidente William McKinley —asesinado en 1901— diciéndole que «es preciso ocupar las islas de Hawaii

A pesar de los crecientes problemas que acarrean los vertidos en la atmósfera, son aún muchas las industrias que contaminan el medio ambiente, con el consiguiente peligro para el futuro, de la humanidad.

cuanto antes, porque son un camino en el mar y necesarias para la seguridad nacional y el comercio».

Los accidentes en las centrales nucleares

A pesar del funesto panorama presentado por el grupo TTAPS, es difícil que se produzca, por ahora —y más con la nueva política de apertura pacifista adoptada por los soviéticos—, una hecatombe a nivel mundial. Cada una de las potencias sabe que la otra será destruida, pero el país que lance la primera bomba sufrirá también daños irreparables. Nadie se atreverá a apretar, conscientemente, el botón que proyecte al espacio varios miles de misiles cargados de artefactos nucleares. Pero sigue en pie otro peligro, que no debe ser descartado.

En 1984 había en el mundo 345 plantas nucleares en servicio, repartidas en 26 países, industrializados o en vías de desarrollo. Además de la posibilidad de sufrir actos de terrorismo, ahora que están de moda, ofrecen otra amenaza permanente, espantosa: el peligro de un accidente que se traduzca en una explosión radiactiva o en filtraciones susceptibles de envenenar el ambiente, a pesar de las muchas precauciones que, según se dice, toman en este sentido.

De 1976 a 1986 se produjo en el mundo una decena de percances serios en las centrales termonucleares, además de miles de pequeños incidentes. Sólo en 1983 hubo en Estados Unidos 5.060 desperfectos de escasa gravedad. Carecieron de consecuencias graves, pero obligaron a los técnicos a desactivar los reactores. Lo más terrible de los desperfectos es que no debieron haber sucedido, porque todo funcionaba perfectamente. Algunas plantas debieron ser cerradas por órdenes de las autoridades, porque no ofrecían el suficiente margen de seguridad. Fue lo que sucedió en California, donde se cometió el error imperdonable de construir uno de estos edificios en lugares de alta frecuencia sísmica.

El 28 de marzo de 1976, diversas bombas que alimentaban de agua al reactor número 2 de la central nuclear de Three Mile Island, en el estado de Pensilvania, sufrieron un pequeño desperfecto. En las siguientes semanas, los técnicos al cuidado de la reparación cometieron varias torpezas que pudieron haber hecho de la sencilla avería una espantosa tragedia.

Antes del accidente de Three Mile Island había sucedido otro impresionante en la localidad soviética de Kychtym, en los Urales, en el invierno de 1958. Contaminó la región en un radio de 3.000 kilómetros, causó 400 muertes y acabó con miles de cabezas de ganado. Dañó gravemente a ciertos organismos humanos, que se siguen resintiendo. El accidente no fue una simple fuga, sino una explosión, acerca de la cual Moscú mantuvo un silencio impenetrable.

Fue lo que dijo Jores Medveden, científico ruso que se refugió en Londres y dio a conocer, en 1979, lo ocurrido 21 años antes. Más tarde tuvo lugar el accidente de Chernobyl, que no sucedió en un lugar solitario, sino en la poblada Ucrania, el sábado 26 de abril de 1986. Fue una advertencia muy clara: no es

En algunos países de Occidente han sucedido accidentes peligrosos que han obligado a redoblar la vigilancia industrial o a desmantelar las centrales nucleoeléctricas. Pero ha sido en la Unión Soviética donde se han prodigado los accidentes termonucleares más graves, debido a la falta de controles de calidad y seguridad de la tecnología soviética. Las catástrofes de Kychtym y Chernobyl han sembrado el pánico entre la población rusa y alertado al mundo entero.

posible confiar ciegamente en la energía termonuclear, aunque sea para fines pacíficos como puede ser la termoelectricidad.

No se extinguía aún el eco de lo sucedido en Chernobyl cuando ocurría otro percance en Inglaterra, en la central nuclear Sellafield, en el condado de Cumberland, el 19 de agosto del mismo 1986. La planta tuvo que suspender las actividades cuando se detectó una repentina elevación del índice de radiación en un depósito de desechos.

Después de mí, el diluvio

El peligro que representan las centrales termonucleares no es fortuito, sino que seguirá latente aunque se desmantelen: el lugar no podrá ser ocupado por otra industria, ni tampoco habitado, durante los siguientes 100 años. Es preciso añadir a esta amenaza el problema sumamente grave de los desechos radioactivos, que afectan a la segu-

ridad del planeta. Seguirán representando un tremendo peligro durante los próximos siglos y serán susceptibles de provocar trastornos genéticos irreversibles, puesto que poseen un potencial ionizante de muy larga duración. Así, el estroncio 90 conserva su peligrosidad durante 300 años, el plutonio 239 durante 240.000 años y el tecnecio 99 durante 2 millones de años...

Para el año 2000 habrá en la Tierra más de 250.000 toneladas de desechos radioactivos, además de los industriales, que tampoco son de desdeñar. No podrán ser considerados biodegradables, como sucede con las aguas negras. ¿Qué hacer con ellos, si los servicios que se ocupan de llevarlos a lugares supuestamente seguros son tan incompetentes como irresponsables? Les importa muy poco lo que pueda suceder a las generaciones futuras, si se produce una fuga y se envenena la mitad de la humanidad.

En las centrales nucleares y en las industrias ocultan los desechos sin ocuparse de tornarlos inofensivos. Suelen enterrarlos en depósitos sin sellar, que se abren por sí solos y esparcen la muerte. Envenenan entonces las capas freáticas y las corrientes subterráneas de agua (si es que no los echan directamente al río cercano). O bien los meten en tanques que corroe el agua salada cuando los dejan caer en el mar. Pobre placton y pobres peces. Y pobres de los humanos que hagan de estos peces su alimento cotidiano.

En Estados Unidos no saben aún qué hacer con los desechos nucleares que resultaron de la fabricación de las bombas lanzadas sobre Hiroshima y Nagasaki. Sin embargo, siguen fabricando más bombas atómicas y más centrales. Estos desechos siguen guardados en un viejo edificio, en el estado de Nueva York, y a 30 calles del Capitolio de Utah, en Salt Lake City, se eleva una colina formada por un millón de toneladas de arena de aspecto inofensivo. Sin embargo, son radiactivas y proceden de los residuos de una planta de uranio cercana.

Esta estúpida actitud de no tomar en serio el peligro recuerda a la del avestruz ocultando la cabeza en un agujero, para no ver lo que sucede en torno suyo. O a la de Luis XV, a quien no le importaba un rábano lo que pudiera suceder a su muerte. Pero la actitud

Los desechos radiactivos e industriales, que alcanzarán la escalofriante cifra de unas 250.000 toneladas para fines del presente siglo, provienen de la incontrolada acción depredadora del hombre contra la naturaleza. El efecto de uno de ellos, la lluvia ácida, puede comprobarse en estas fotografías de un bosque de coníferas en Hanshuhnenburg, Alemania.

adoptada por quienes no piensan en el problema de los desechos atómicos e industriales no conducirá a ninguna revolución del pueblo, sino al fin de la humanidad. Después de nosotros vendrá el diluvio.

A todos estos peligros habría que añadir la agresión de los insecticidas, las emanaciones no controladas de algunas fábricas de productos químicos, los PCB, o policlorofenoles que tienen el grave problema de ser indestructibles y originar dioxinas muy tóxicas que llegan con facilidad a los seres humanos. Debe citarse la polución gaseosa resultante de la combustión de los hidrocarburos, la lluvia ácida que está destrozando los bosques, la creciente erosión de las tierras, la desforestación,

Los países industriales luchan por abatir el nivel de contaminación gaseosa y sólida producida por sus fábricas, pero los resultados son poco apreciables. Los subdesarrollados poseen menos fábricas, pero nada hacen por evitar la polución, formada a veces por vapores de plomo y derivados del azufre.

la concentración acelerada de anhídrido carbónico en la atmósfera, la destrucción de la capa de ozono protectora por culpa de los freones, tan utilizados en la industria.

¿Adivinaron los profetas del pasado que el hombre tiene la fea costumbre de caminar con paso firme hacia su propia destrucción, obedeciendo acaso a una ley natural contra la cual no puede luchar? Todo parece indicar que al hombre parece agradarle la perspectiva de suicidarse, pero es de esperar que no lleve a cabo sus propósitos hasta el fin. Posee un arraigado instinto autodestructivo, pero suele darse cuenta cuando todo está casi perdido, del peligro que le amenaza y sabe reaccionar. No es tan estúpido como creemos.